錢　濤　著

# 錦言警句

感謝：上蒼老天，
賜我生命，健康；
給我智慧，勇氣。
發願：盡心竭力，
爲無明衆生，解惑；
爲有緣子民，服務。
祈望：大地有情，
生生不息，適性發展；
欣欣向榮，圓滿成功。

## 大成至聖先師

孔子孔子大哉孔子孔子孔子之前未有孔子

孔子孔子聖哉孔子孔子孔子之後無有孔子

做一個人　像一個人

做一件事　像一件事

# 錦言警句目錄

太上老君道德天尊

# 敘　言

人生範疇與領域，內涵與外延，可謂經緯萬千。本輯係以一九九八年十月十二版的「•錦言警句•」為藍本，將文字、內容與篇幅，重新編排、修正，及增訂，計分聯語一（七十八目）和聯語二，共一千六百則，另附短文三十多篇，言簡意賅，言近旨遠，雖是一般原理常則，及聯語比對之論，但要觸類旁通，融會義理，與了知言外之意，尚應善自：深思覺察，修學行證，參究體悟，則無不自得。孔子曾自述：「吾十有五，而志於學；三十而立；四十而不惑；五十而知天命；六十而耳順；七十而從心所欲；不踰距。」勉人進德修業，須循序漸進，以期隨緣隨意隨分而自在，再則，眾生的心性、智慧及功力有殊，則各人的體驗與領悟亦自不同。惟有日日修心，天天勤學，自強不息，精進不已。庶幾，兼聽則聰，神明妙用，則玩味無窮。即使是一偈半則，苟有益於世道人心，亦願足矣。

# 做人與做事

一、

讀書以明理為本，明理為做人與做事。

試觀人生舞臺上，古往今來，吾邦異域。人有智愚，正邪、直枉的千差萬別；事有大小、難易、隱顯的千變萬化。在人與事的錯綜、激盪、穿梭、交織及互動之中，做人應自尊自重，以仁道為本；做事須自立自強，以義理為宗。並本諸「以真制妄，以靜致動，以常應變」原則，因人、時、地、物及事而制宜。再者，做人的存心厚薄和悟迷不同，做事的明理深淺和勤惰有殊。何況，一個人的善惡、榮辱和福禍倚伏，往往存乎一心；一件事的是非、得失和盛衰消長，每每繫於一念。且做人與做事之間，互因互通，相輔相成，原是一體的兩面，彼此依恃呼應，息息相關。人由心轉，事在人為，人人明良心，以道德為體，修無上正德和無上正覺之心，自無不適「中」；事事致良知，以智慧為用，持無上正慧和無上正等之行，自無不融「和」。誠然，做人當存仁心，做事當持義行，如何轉識成智，化凡為聖，神明妙用，在慎乎一念耳！

二

人生經緯萬千，不外做人做事二端：
如何做人？扮好角色，成己成人。
如何做事？善盡職責，成物成事。

做人要本良心，自尊自重，以中道自居。
做一個人，像一個人；推己及人，而止於仁。
恕以待人，人道圓融，人人圓德圓滿。
做事要依良知，自立自強，以正理自持。
做一件事，像一件事；盡己及事，而止於義。
忠以治事，事理圓明，事事圓得圓全。
做人與做事，原是一體的兩面；

人和事通，事通人和，互因互倚，相輔相成。

人由心轉，事在人為；

善玉成人，成人之美，以做好人為榮。

善玉成事，成事之功，以做好事為樂。

# 聯語一

春

# 人與事

做一個人，扮好角色；做人像人，成己成人。
做一件事，善盡職責；做事像事，成物成事。
自我形象，自我塑造；擴充自我，光輝人生。
自我前程，自我創造；擴大自我，光耀事功。
人不安命，意多怨望；人到無求，人品自高。
事不循理，行多窒礙；事到無私，事業自通。
知人善任，謹而任之；知人用人，用無不當。
知事善爲，愼而爲之；知事治事，治無不成。

自我期許，有志竟成；希聖希賢，人人可至。
自我期勉，有爲能成；立功立業，事事可達。
人生坎坷，難行能行；待人以誠，不忤不煩。
事業縹緲，難爲能爲；處事以敬，不拂不累。
至誠至敬，無欺無僞；誠敬待人，人無不服。
至公至正，無偏無私；公正處事，事無不成。
處人之道，毋任己意；悉人之情，情義處之。
處事之道，毋任己見；悉事之理，理智處之。

修如實心，光天化日；清清白白，作本色人。
持如理智，光風霽月；清清楚楚，作本務事。

做人躁急，躁則失君；以靜制躁，靜爲躁君。
做事輕浮，輕則失根；以重御輕，重爲輕根。

人有頑處，善爲化誨；含蓄責之，切勿太盡。
事有缺點，善爲彌縫；委婉克之，切忌太直。

不恥下問，自能得智；不恥下人，自能得衆。
不恥下位，自能得賢；不恥下事，自能得功。

適心適性，因材施教；因人器使，人盡其才。

適智適能，因勢利導，因事器使，事竟其功。

心平氣和，無愧於人；無怨無尤，無切齒人。

心安理得，無虧於事；無悔無憾，無皺眉事。

持身待人，勿輕喜怒；喜怒無常，自易傷人。

涉世處事，勿重愛憎；愛憎無定，自易礙事。

做人要圓，圓中帶方；爲人圓融，圓融不滑。

做事要方，方中帶圓；爲事方正，方正有度。

慈顏常笑，笑古笑今；笑古今來，可笑之人。
大肚能容，容天容地；容天地間，難容之事。
好人難做，天必佑之；做人難圓，惟求心安。
好事難做，天必輔之；做事難全，惟求理得。
仁者愛人，無不汎愛；愛由親疏，應急親賢。
智者知事，無不致知；知所先後，須急先務。
不附尾人，不屈服人；委屈求全，屈全自明。
不附和事，不曲就事；委曲求直，曲直自見。

步步佔先，人必擠之；面面俱到，無難與人。

著著爭勝，事必挫之；件件俱全，無難爲事。

人如不修，難成大人；欲成大人，大度能容。

事如不爲，難成大事；欲成大事，大量能忍。

人人自責，天清地寧；人人相愛，天下則治。

事事互責，天翻地覆；事事相惡，天下則亂。

誠心待人，人人稱心；先機致人，不致於人。

誠意治事，事事如意；先發制事，不制於事。

謀制天下，制人無聲；略轉天下，屈人無形。
智料天下，料事未朕；術定天下，理事未形。
逢難處人，宜善處之；要多了知，而少言說。
遇難爲事，宜善爲之；要有毅力，而不氣餒。
天下之人，無不可化；誠心未至，則難化之。
世間之事，無不可爲；立志未堅，則難爲之。
不畏困苦，好人多厄；遇苦不苦，吃苦是福。
不懼困難，好事多磨；逢難不難，居難是德。

聖哲在位，人盡其才；各安其位，各展其才。
賢能在職，事竟其功；各克其職，各奏其功。
明明白白，開誠心也；誠心感人，無往不服。
坦坦蕩蕩，佈公道也；公道處事，無往不直。
從中從心，而中其心；盡心及事，盡己及物。
從如從心，而如其心；推心及人，推己及物。
人心圓融，人人圓融；知其圓者，守其缺也。
事理圓全，事事圓全；知其全者，守其半也。

人有所長，亦有所短；用其所長，略其所短。
事無全利，亦無全害；取其所利，避其所害。
雪中送炭，有裨於人；成人之美，隱人之醜。
錦上添花，無補於事；成事之功，防事之過。
誠於內者，赤子之心；至誠待人，人則服之。
敬於外者，赤忱之行；至敬處事，事則成之。
論人之德，有善有惡；依德論人，正德正人。
論事之理，有眞有僞；據理論事，正理正事。

## 身與心

明境止水，以之存心；光風霽月，以之待人。
泰山喬嶽，以之立身；青天白日，以之應事。
人知道理，自然而化；自然生活，不累吾心。
事循規矩，無爲而成；無爲工作，不累吾身。
靜以養身，靜可養精；靜可養氣，靜可養神。
敬以修心，敬可修戒；敬可修定，敬可修慧。
愼風寒之，節嗜欲之；從身軀上，預防身病。
省憂慮之，戒煩惱之；從心智上，了卻心病。

身若出家，心不出家；心未證悟，仍是凡家。
心若出家，身不出家；心已證悟，便是禪家。

萬般捨下，身無執障；身不造作，自然身安。
萬緣放下，心無罣礙；心不忮求，自然心安。

橫逆之來，勿驚於身；危急之時，應以從容。
變故之起，勿憂於心；張皇之際，持以鎮定。

民好好之，民惡惡之；不以好惡，而傷自身。
民憂憂之，民樂樂之；不以憂樂，而煩己心。

樂天知命，吾有何憂；調身煉命，了命登眞。
窮理盡性，吾有何疑；調心養性，了性入聖。
身宜無傷，氣宜舒暢；寡言養氣，寡欲養精。
心宜無煩，神宜安詳；寡思養神，寡忿養性。
一念昏迷，即墮苦界；迷者之身，身處塵寰。
一念覺悟，即生樂界；悟者之心，心臨聖境。
安心養命，命有所成；命之不存，性將焉修。
安身養形，形有所適；形之不存，神將焉附。

天賜之命，定分之命；命之造化，繫於修身。
天賦之性，氣質之性；性之造化，繫於養心。
身靜無欲，可以保身；身體變化，生老病死。
心定無念，可以養心；心理變化，生住異滅。
凡夫生命，身有所執；有我有相，受苦受難。
菩薩生命，心無所執；無我無相，救苦救難。
心者君也，少動心也；心逸神全，神全了性。
身者臣也，多動身也；身勞形固，形固了命。

身似槁木，外無執著；無所知障，清靜安身。
心如死灰，內無垢染；無煩惱障，清淨安心。
治身之道，務須防患；剛惡曰暴，柔惡曰慢。
治心之道，務必去毒；陽惡曰怒，陰惡曰欲。
身有主宰，不役於物；人有主宰，無畏生死。
心有眞君，不迷於欲；人有眞君，無懼存亡。
水流雖急，而心常靜；心放靜中，何慮譽毀。
花落雖頻，而身常閒；身置閒處，何憂榮辱。

從身形觀，生死有限；生老病死，是悲苦事。
從心神觀，生死無限；生老病死，是喜樂事。
敬於心者，不動於心；謹於言者，不謾於言。
敬於身者，不慢於身；慎於行者，不縱於行。
目無妄視，視則思明；身無妄動，動則思義。
口無妄言，言則思忠；心無妄念，念則思理。
人之身形，神之所依；常勞常動，以養身形。
人之心神，形之所根；常逸常靜，以養心神。

修心煉性，性以命立；性功不顯，命亦無存。
修身煉命，命以性顯；命功不立，性亦無寄。
善言善語，不可離口；善思善念，不可離心。
善行善爲，不可離手；善德善業，不可離身。
血腎腦髓，精氣神者；七寶調適，身自安康。
喜怒哀樂，愛惡欲者；七情調和，心自安寧。
夫煉精者，保養身命；煉身不動，則元精凝。
夫煉氣者，修養心性；煉心不動，則元氣息。

心定不動，龍吟雲起；龍吟氣固，足以凝神。
身靜不動，虎嘯風生；虎嘯精聚，足以保形。
養體煉形，善修身命；身定形固，形固了命。
養氣煉神，善修心性；心定神全，神全了性。
身體生滅，分段生死；未出三界，六凡輪迴。
心智生滅，變異生死；已出三界，四聖證悟。
凡志於道，自同於道；道在人身，外求則遠。
凡志於德，自同於德；德在人心，外觀則昧。

## 生與死（滅）

生從何來；從自然來，生不帶來。空空地來
死往何去，往自然去；死不帶去，空空地去。

人之出生，不得不生；順乎自然，自化而生。
人之入死，不得不死；循乎自然，自化而死。

生未曾生，生不足喜；人之生者，生不能卻。
死未曾死，死不足悲；人之死者，死不能止。

生者時也，應時而來；欣然而來，不知悅生。
死者順也，隨順而去；安然而去，不知惡死。

氣入身者，不形之形；未生之前，是何面貌。
神離體者，形之不形；既死之後，是何景象。
人不偷生，生有尊嚴；履危如安，而善吾生。
人不畏死，死有價值；履險如夷，而善吾死。
生不苟生，亦不枉生；生有意義，生則爲英。
死不苟死，亦不枉死；死有節義，死則爲靈。
人生若浮，不知所始；生無所愧，存吾順也。
人生若休，不知所終；死無所憾，歿吾寧也。

得乎大道，得之則生；順乎大道，就能成功。
失乎大道，失之則死；逆乎大道，就會敗亡。
載我以形，勞我以生；生於憂患，憂心憂勞。
佚我以老，息我以死；死於安樂，安心安息。
俗家生死，生死輪迴；生之可喜，死之可悲。
禪家死生，死生解脫；死非可悲，生非可喜。
人生流轉，輪迴無常；有垢有漏，未了生死。
人生還轉，解脫涅槃；無垢無漏，已了死生。

陽宅住場，生人住屋；有好肚腸，勝好住場。
陰宅墳地，死人墳墓；有好心肝，勝好墳地。

死重於生，重於泰山；死有價值，雖死猶生。
生輕於死，輕於鴻毛；生無意義，雖生猶死。

本於道義，覺悟而死；爲道義死，死有價值。
依於物欲，迷惘而生；爲物欲生，生無價值。

人生即形，不形而形；從無而有，氣聚則生。
人死離形，形而不形；從有而無，氣散則死。

自然生死，肉體生死；有形生死，有形有限。
道義死生，精神死生；無形死生，無形無限。
當生則生，生於義中；爲義而生，了覺之生。
當死則死，死於道中；爲道而死，了悟之死。
人生觀者，善觀人生；人之所生，死之益長。
人死觀者，善觀人死；人之所死，生之完成。
無意義生，生即是死；雖生而活，無殊於死。
有價值死，死即是生；雖死而滅，無殊於生。

## 生與滅

輪迴法門，因生果生；無明生故，生死流轉。
解脫法門，因滅果滅；無明滅故，滅度涅槃。
緣起現象，有生有滅；現象事物，煩惱所依。
實相本體，無滅無生；本體理念，菩提所依。
緣起流轉，苦與集諦；因果相生，濁染無常。
緣起還轉，滅與道諦；因果寂滅，清淨涅槃。
性空無性，而言無生；生之流轉，無來無生。
緣起有相，而言無滅；滅之還轉，無去無滅。

## 儉與勤(奢)

勤而不佚，勤能補拙；克勤修身，才能興業。

儉而不奢，儉能養廉；克儉攝心，才能積福。

動以修身，勤以修業；從理而動，動則常定。

靜以養心，儉以養德；循道而靜，靜則常覺。

勤以開源，不勤寡入；勤必家起，懶則家傾。

儉以節流，不儉妄費；儉必家富，奢則家貧。

勤而勞之，勤勉不倦；克勤處世，多留遺澤。

儉而約之；儉省不嗇，克儉持身。多惜餘福。

## 儉與奢

儉而寡求，儉則有餘；儉以立身，身家皆泰。
奢而貪求，奢則不足；奢以立身，身家俱敗。
由儉入奢，易於流水；奢華之人，富而不足。
由奢入儉，難於登天；儉省之人，貧而有餘。
儉者寡欲，心則常富；儉而常富，樂在其中。
奢者多欲，心則常貧；奢而常貧，憂在其中。
勤必家起，儉必家富；以儉持家，澤被子孫。
惰必家傾，奢必家貧；以奢持家，災及後嗣。

## 衣與食

衣不求華，質而潔之；天天錦衣，不過一暖。
食不求珍，精而約之；日日玉食，不過一飽。
衣不過暖，裳不過華；衣僅暖體，何必珍服。
食不過飽，飲不過多；食僅飽腹，何必珍饈。
世人有溺，猶己溺之；人溺己溺，解衣衣之。
世人有饑，猶己饑之；人饑己饑，推食食之。
衣以文身，毋需太絢；衣暖即可，勿恥惡衣。
食以強身，毋需過豐；食飽即可，勿恥惡食。

## 行與言（知）

言前定之，自然不跲；事前定之，自然不困。
行前定之，自然不疚；道前定之，自然不窮。
多聞闕疑，慎言其餘；慎於言者，則寡尤也。
多聞闕殆，慎行其餘；慎於行者，則寡悔也。
聽人譽言，多加奮勉；聽人謗語，多加警惕。
見人善行，多方讚揚；見人過舉，多方提醒。
言必謹慎，自無紕繆；言語謙遜，則自免禍。
行必莊重，自不輕佻；行誼嚴明，則自遠悔。

訥於言者，言必顧行；言滿天下，則無怨言。
敏於行者，行必顧言；行滿天下，則無禍行。
謹言而言，言必忠信；一言不謹，訾議叢興。
慎行而行，行必篤敬；一行不慎，愆尤駢集。
道遍虛空，道無不在；本道而言，則言必美。
理彰法界，理無不明；依理而行，則行必尊。
謹言之人，言必由道；謹言善言，自無瑕適。
慎行之人，行必由義；慎行善行，自無轍迹。

# 行與知

傳說言知，知易行難；知先於行，即知即行。
孫文言行，行易知難；行重於知，即行即知。
眞切篤實，知即是行；知而後行，知爲行始。
明覺精察，行即是知；行而後知，行爲知成。
知是主意，致知爲先；知得眞切，知能日新。
行是工夫，力行爲重；行得篤實，行能日進。
學而知之，困而知之；知之愈明，行之愈篤。
安而行之，勉而行之；行之愈篤，知之愈明。

## 喜與怒

德以服人，一團和氣；歡喜迎人，猶如親家。
力以服人，一團戾氣；盛怒迎人，類似冤家。
聞譽而喜，思其或無；見譽而樂，佞之媒也。
聞謗而怒，思其或有；聽謗而忿，讒之由也。
喜孜孜時，宜自檢束；喜時之言，易於失信。
怒忿忿時，宜自克制；怒時之言，易於失體。
大喜破陽，抑喜養陽；樂太盛者，則陽溢也。
大怒破陰，忍怒全陰；哀太盛者，則陰損也。

# 名與利

天下熙熙，皆爲名來；爲名而爭，爭萬世名。
天下攘攘，皆爲利往；爲利而計，計天下利。
無實之名，切不妄求；爲名而競，名存實亡。
無義之利，切不妄取；爲利而爭，利至義喪。
彼以名位，吾以仁道；名不可邀，貴不久居。
彼以利祿，吾以義理；利不可奪，富不欲得。
烈士爭名，殉名於朝；殉名損性，必爲名枷。
貪夫逐利，殉利於市；殉利傷身，必爲利鎖。

名不可矜，尤戒貪名；強而求之，飛蛾撲火。
利不可奪，尤戒貪利；強而得之，蒼蠅逐臭。

心牽於名，則役於名；名譽心生，則煩惱來。
心繫於利，則役於利；利欲心起，則困擾至。

增我名者，傷吾生也；臨名讓名，泰然自在。
益我利者，損吾身也；處利讓利，悠然自得。

明於道者，不計功名；若計功名，不悖於道。
正於義者，不謀祿利；若謀祿利，不背於義。

功不佔盡，名不爭盡；事不做盡，財不用盡。
勢不使盡，利不得盡；話不說盡，福不享盡。

凡貪小名，大名不立；讓名於人，名自立之。
凡貪小利，大利不至；讓利於人，利自至之。

不矜貴者，何必慕名；勿逞勢者，何須羨位。
不貪富者，何必慕利；勿逆命者，何須羨壽。

人之好名，好名而顯；顯而剛者，非道勿爭。
人之好利，好利而隱；隱而柔者，非義勿取。

凡好名者，尚知自愛；能自愛者，必非小人。

凡好利者，祇知自私；而自私者，決非善類。

千般易淡，名心難淡；勘破名關，一切皆淡。

萬般易捨，利心難捨；勘破利關，一切俱捨。

貪德讓名，無所不宜；處名之際，謙退爲福。

好義讓利，無所不當；臨利之時，淡泊爲安。

濃於聲色，生虛怯病；濃於貨利，生貪婪病。

濃於功業，生造作病；濃於美名，生矯激病。

# 賞與罰

愛人利人，順天之道；爲善必賞，天賜百福。
賊人害人，逆天之理；爲惡必罰，天降千禍。
賞莫如厚，使人惠之；獎賞好人，人則悅之。
罰莫如重，使人畏之；懲罰壞人，人則服之。
人有功德，雖疏必賞；賞先卑遠，而後貴近。
人有過錯，雖親必罰；罰先貴近，而後卑遠。
有功當賞，賞一勸衆；賞非所當，衆則離之。
有過宜罰，罰一儆衆；罰非所宜，衆則怨之。

凡有功者，雖賤必獎；疏賤必賞，賞則不怠。
凡有過者，雖貴必懲；親貴必罰，罰則不驕。

無形之賞，不以爵祿；賞以樂始，而勉其終。
無形之罰，不以鼎鑊；罰以除舊，而開其新。

功疑惟重，從重賞之；賞疑從予，以示廣恩。
罪疑惟輕，從輕罰之；罰疑從去，以示慎刑。

導之以德，齊之以禮；人有恥心，賞以長善。
導之以政，齊之以刑；人無恥心，罰以救惡。

明君行賞，暖如時雨；同功殊賞，人則不服。明君行罰，畏如雷霆；同罪殊罰，人亦不服。

誠有功者，功無倫賞；賞倫於人，人隳其業。誠有過者，過無赦罰；罰赦於人，人易其非。

用賞貴信，賞以驅人；立德建業，則功不遺。用罰貴必，罰以防人；循規蹈矩，則令不犯。

爵賞示恩，賞不可濫；賞及無德，則恩不生。刑罰立威，罰不可濫；罰及無辜，則威不至。

爲善必賞，賞如其善；賞及無功，無以勸善。
爲惡必罰，罰如其惡；罰及無過，無以止惡。
行善當賞，賞貴乎信；獎賞善人，激勵好人。
行惡當罰，罰貴乎必；懲罰惡人，警戒壞人。
正念善行，賞之以祥；吉祥好運，百福所歸。
邪念惡行，罰之以殃；凶殃壞運，百禍所攻。
本乎中道，可對天人；爲善之行，天人敬賞。
依乎正理，可對神鬼；爲惡之行，神鬼儆罰。

# 恩與威

善用恩者，以恩服人；示恩於人，由淡而濃。
善用威者，以威服人；立威於人，從嚴而寬。
以身作則，正身正德；立德施恩，人無不佩。
以名核實，正名正信；立信樹威，事無不成。
恩而罔威，則不懷畏；用威用禮，人必懷畏。
威而罔恩，則不懷惠；用恩用仁，人必懷惠。
德以示恩，威以濟之；恩而無威，易生外削。
理以示威，恩以輔之；威而無恩，易起內潰。

恩私於親，則眾不服；仁以施恩，則大恩至。
威行於怒，則眾不懼；禮以立威，則大恩至。

用恩固善，莫如用仁；仁以立人，恩以懷人。
用威固當，莫如用禮；禮以接人，威以服人。

施恩於人，使人懷惠；僅施恩惠，人難懷畏。
示威於人，使人懷畏；祇示威畏，人難懷惠。

大蓋天下，能容天下，威蓋天下，能約天下。
仁蓋天下，能懷天下；恩蓋天下，能保天下。

# 智與愚(理、能、得)

上智之人，有下下思；智者千慮，必有一失。
下愚之人，有上上思；愚者千慮，必有一得。
智者多財，易損志氣；疏財仗義，智且明焉。
愚者多財，易益過錯；輕財重義，愚且直焉。
智者治事，順天行事；大智興事，在集眾思。
愚者處事，逆天行事；大愚誤事，在好自用。
一念迷時，即障菩提；一念愚時，即礙般若。
一念悟時，即發菩提；一念智時，即生般若。

智者知過，改過遷善；順道而行，善業日新。
愚者昧過，恥過遂惡；逆理而動，惡業日深。

邦有道時，直且智焉；有道而智，善處治世。
邦無道時，直且愚焉；無道而愚，善處亂世。

人生而智，不矜於智；不因己智，而忽於心。
人生而愚，不拘於愚；不因己愚，而怠於心。

智之爲智，勿止於智；因不斷學，故智愈高。
愚之爲愚，仍止於愚；因不肯學，故愚愈甚。

是其所是，非其所非；是是非非，眞而智也。
是其所非，非其所是；是非非是，假而愚也。

## 智與理

胎藏界者，色法理法；胎藏因位，如來理德。
金剛界者，心法智法；金剛果位，如來智德。
一心三觀，三觀之智；三觀具足，圓融三觀。
一境三諦，三諦之理；三諦具足，圓融三諦。
知是知識，有眞有妄；返妄歸眞，眞智之知。
見是見解，有正有邪；破邪顯正，正理之見。

一心三觀，修顯之智；與智相契，智慧圓融。

一境三諦，證悟之理；與理相契，理性圓融。

心無分別，謂之能空；能空之智，正智空智。

法無取捨，謂之所空；所空之理，正理空理。

金剛智德，堅固銳利；智爲修生，修行而生。

胎藏理德，含蘊攝持；理爲本有，本然而有。

四曼法相，修證之智；智者無邊，智表差別。

六大法性，本具之理；理理無數，理示平等。

## 智與能

人具眞智，自不誇智；不以己智，病人不智。
人具眞能，自不矜能；不以己能，病人不能。
君者守簡，執要無爲；無爲而智，在滙衆智。
臣者任繁，詳明有爲；有爲而能，在集衆能。
一國之主，英而明之；明主有智，愼思憂慮。
一軍之將，賢而良之；良將有能，惕厲憂懼。
因人之智，藏我之智；用人之智，高明莫測。
因人之能，斂我之能；用人之能，博大無窮。

吾不自智，因人智之；不逞己智，人盡其智。
吾不自能，因人能之；不逞己能，人竭其能。

## 智與得

斷煩惱障，破除我執；內證我空，無智妙智。
斷所知障，破除法執；外證法空，無得妙得。
心無分別，何有於智；智為能觀，無智之智。
心無好惡，何有於得；得為所觀，無得之得。
般若妙智，無智為智；智而無智，無智而智。
般若妙得，無得為得；得而無得，無得而得。

# 才與德

善修德性，盡倫盡性；盡性正倫，以正倫常。
善運才智，盡制盡智；盡智正制，以正制度。
以仁以德，王道之爲；王道感人，感人者興。
以力以才，霸道之爲；霸道懾人，懾人者亡。
德爲主者，德爲元質；如木根本，如水源頭。
才爲輔者，才爲功能；如木枝葉，如水波瀾。
人有德賢，豈可妒賢；詆生於妒，不妒人賢。
人有才能，豈可嫉能；毀生於嫉，不嫉人能。

人無貴賤，崇德盡性；盡其德性，守其本分。
人無大小，適才盡能；盡其才能，克其職分。
德才兼全，謂之聖者；德勝於才，便是君子。
才德兼亡，謂之愚者；才勝於德，便是小人。
亂世用人，才重於德；延攬英雄，網羅豪傑。
治世用人，德重於才；延攬聖哲，網羅賢良。
德是本質，德須稱位；德不稱位，禍患無窮。
才是功能，才須稱職；才不稱職，災殃必大。

## 物與欲（人）

人心本靜，不靜則動；心動於物，則逐於物。
人心本淨，不淨則染；心染於欲，則縱於欲。
心中齋戒，即能虛己；了悟無己，了無一欲。
坐而忘身，即能喪我；了證無我，了無一物。
人心湛然，靈明在智；不滯於欲，則無欲障。
人心朗然，神明在躬；不執於物，則無物障。
心牽於欲，則役於欲；心放於欲，則欲心生。
心牽於物，則役於物；心放於物，則物心起。

惟道集虛，心齋無己；無己了欲，自無煩惱。

離形去知，坐忘無身；無身了物，自無困擾。

若見諸欲，不迷於欲；福由己召，寡欲則福。

若見諸物，不惑於物；禍由己起，貪物則禍。

無事之時，莫教心空；守住內欲，心定不亂。

有事之時，莫教心慌；看輕外物，心靜不貪。

人心一定，清淨之極；內無欲念，無逐於外。

人身一敬，清靜之極；外無物求，無緣於內。

有心不住，內不迷欲；無心於欲，不即一欲。
有爲不執，外不蔽物；無爲於物，不著一物。

至誠於內，內忘於欲；純純然乎，人欲自盡。
至敬於外，外忘於物；渾渾然乎，事物自明。

人宜役物，不役於物；我雖即物，應之不藏。
人宜制欲，不制於欲；我雖即欲，應之不亂。

攝心寡欲，無欲靜虛；靜虛而明，明則通矣。
攝身輕物，無物動直；動直而公，公則溥矣。

## 物與人

心無好惡，自不棄人；人困於天，正以成人。
意無愛憎，自不棄物；物肅於天，正以成物。
盡人之性，因人而用；善以用人，昇華人性。
盡物之性，因物而用；善以用物，提升物性。
人我同胞，玩人喪德；常善救人，故無棄人。
物我同體，玩物喪志；常善救物，故無棄物。
人之本然，人性之眞；人有生死，自然法則。
物之本然，物性之眞；物有生滅，自然現象。

人之常善，固有之德；德以救人，足以化人。

物之常善，當然之理；理以救物，足以濟物。

與人相處，隨分而樂；與人無忤，則人可親。

與物相處，隨遇而安；與物無違，則物可拊。

天降禍患，天之困人；人經禍患，德慧自全。

天降風霜，天之肅物；物受風霜，生意自固。

人必先疑，而後讒起；讒不自起，因疑而起。

物必先腐，而後蟲生；蟲不自生，因腐而生。

## 因與緣（果）

由此生彼，謂之因也；因是親因，因隨緣生。
由此成彼，謂之緣也；緣是增緣，緣隨因成。
因爲原因，主因根源；直接主體，有早有遲。
緣爲機緣，助緣條件；間接助力，有強有弱。
因是親稱，孤因不生；親與強力，仗因而生。
緣是疏稱，獨緣不長；疏添弱力，托緣而長。
因是主因，主生之種；自主條件，充足條件。
緣是助緣，助生之機；輔助條件，必要條件。

## 因與果

如是因者，如是果也；有其因者，必有其果。
如是果者，如是因也；有其果者，必有其因。
前世善因，前世惡因；前世之因，今生受是。
後世善果，後世惡果；後世之果，今生作是。
因前有因，溯之無始；因因相承，故無始因。
果後有果，推之無終；果果相續，故無終果。
父爲子因，父前有父；父父相承，父父無始。
子爲父果，子後有子；子子相續，子子無終。

## 色與聲

目愛彩色，伐性之斧；口貪滋味，腐腸之藥。

耳樂淫聲，攻心之鼓；身安輿駟，召蹶之機。

五色亂目，目則不明；五味濁口，口易爽傷。

五聲擾耳，耳則不聰；五欲迷心，心易發狂。

理直氣壯，理直氣和；氣和聲柔，和顏怡聲。

義正詞嚴，義正詞婉；詞婉色溫，婉容愉色。

目之明者，勿見人短；不視惡色，不視邪色。

耳之聰者，勿聞人非；不聽惡聲，不聽淫聲。

目不兩視，非禮不視；目宜收視，則不逐色。
耳不兩聽，非禮不聽；耳宜反聽，則不逐聲。
觀不著色，目之大明；目視而明，明則先見。
聞不著聲，耳之大聰；耳聽而聰，聰則先知。
五色之變，不可勝觀；五味之變，不可勝嘗。
五聲之變，不可勝聽；五行之變，不可勝窮。
非禮勿視，勿視惡色；五彩之色，令人目盲。
非禮勿聽，勿聽惡聲；五音之聲，令人耳聾。

## 山與海

父兮鞠我，恩高似山；巍巍乎哉，壽比南山。
母兮生我，恩深似海；洋洋乎哉，福如東海。
山岳之高，衆土聚之；山之勢成，禽獸處焉。
海洋之大，衆水匯之；海之勢成，魚鼈生焉。
高山雖高，高上有高；高山之上，仍有高山。
大海雖大，大外有大；大海之外，仍有大海。
不讓土石，能成高山；巍巍乎哉，山高願大。
不擇河川，能成深海；浩浩乎哉，海深智廣。

人不忘本，自不忘恩；知恩報恩，恩深似海。
人不違法，自不違義；知義行義，義重如山。
不登高山，不知天高；積土成山，風雨興焉。
不臨深海，不知地厚；積水成海，蛟龍生焉。
海水中魚，釣而不網；網水而魚，明年無魚。
山林中獸，弋而不焚；焚林而獸，來年無獸。
身無病痛，身軀自在；身健體康，壽比南山。
心無煩惱，心靈自由；心曠神怡，福如東海。

## 長與短

用人之道，用其所長；長不可矜，矜則勿長。
教人之道，教其所短；短不可護，護則終短。
人有所長，亦有所短；容恕其短，發皇其長。
己有所短，亦有所長；培養其長，改正其短。
知人之短，短中有長；用人之長，避人之短。
知人之長，長中有短；成人之長，去人之短。
欣賞別人，稱其所長；沒我之長，吾能諒之。
容忍他人，宥其所短；揚我之短，吾能恕之。

稱人之長，勿過其實；教人之善，使其可從。
道人之短，勿損其眞；攻人之惡，思其堪受。
不說己長，己亦有短；藏己之長，含蓄養深。
不道人短，人亦有長；隱人之短，敦厚養大。
毋談人短，己豈無短；革己之短，掩人之短。
毋恃己長，人亦有長；隱己之長，揚人之長。
空中之鳥，不游於水；鳧頸雖短，而不可續。
水中之魚，不飛於空；鶴頸雖長，而不可去。

## 大與小

居高位者，神勞形逸；居高好大，則招尤焉。
處卑位者，形勞神逸；處卑安小，則寡怨焉。

小德純純，小德川流；小德流行，川流不息。
大德巍巍，大德敦化；大德化育，敦化無窮。

有我有限，有限則小；健全小我，擴充小我。
無我無限，無限則大；實現大我，完成大我。

人皆取有，以有爲用；有用小用，小則有限。
己獨取無，以無爲用；無用大用，大則無限。

難蹟於山，山者大也；因爲山大，故人順之。
易蹟於垤，垤者小也；因爲垤小，故人忽之。
信於心者，誠於意也；大信守心，聖人守心。
信於言者，成於德也；小信守言，君子守言。
親之過大，而不諫諍；愈疏且遠，即是不孝。
親之過小，而不包容；微急而怒，亦是不孝。
小人之流，以身殉利；義士之輩，以身殉名。
大人之流，以身殉世；聖哲之輩，以身殉道。

# 上與下

上德無爲，無爲爲之；上德不德，是以有德。
下德有爲，有爲爲之；下德執德，是以無德。
上有所承，上承祖宗；祖宗雖遠，祭祀當誠。
下有所啓，下啓子孫；子孫雖愚，經書要讀。
往上迴向，上求菩提；上弘聖道，超凡入聖。
往下迴向，下度衆生，下化凡間；超聖入凡。
形而上者，往上超昇；無形之道，生物之本。
形而下者，往下凝聚；有形之器，生物之具。

胎藏理體，理配本覺；本覺下轉，即化他門。
金剛智用，智配始覺；始覺上轉，即自利門。

居上不驕，以善御下；處尊位者，上情下達。
居下不慢，以善事上；處卑位者，下情上達。

形上之道，妙無隱性；隱而無物，萬物之源。
形下之器，妙有顯相；顯而有物，萬物之象。

上求佛法，佛法無邊；弘揚佛法，周遍世界。
下化眾生，眾生無量；普度眾生，圓滿人間。

逆生死流，悟而向善；善即菩提，上臨極樂。
順生死流，迷而向惡；惡即煩腦，下臨娑婆。
形上道界，無善無惡；守其絕對，忘善泯惡。
形下器界，有善有惡；守其相對，爲善去惡。
縱放人心，日趨下流；向下而放，禽獸之心。
守著道心，日向上達；向上而著，天地之心。
上根之人，宜先修性；上達下學，了性了命。
下根之人，宜先修命；下學上達，了命了性。

身中心火，火盛水乾；火燥弛念，神火下炤。
身中腎水，水多火滅；水泛緊意，氣水上蒸。

形上界外，無相之道；道的作用，離不開器。
形下界內，有相之器；器的物質，離不開道。

人作好事，心神舒暢；作善命好，上升天堂。
人作壞事，心神驚惶；作惡命壞，下墮地獄。

形上實體，平等之相；無迷無悟，無染無淨。
形下現象，差別之相；有迷有悟，有染有淨。

心火不熒，神火下降；神不搖晃，則心愈安。
腎水不淵，氣水上升；氣不洩漏，則腎愈澄。

行善之人，向上昇華；不獨益己，抑且益人。
行惡之人，向下墮落；不獨損己，抑且損人。

心火欲降，而能滋腎；火不炎上，自然神旺。
腎水欲升，而能沃心；水不滲下，自然氣盛。

上德無名，有德之實；有德司契，仁而多施。
下德有名，無德之實；無德司徹，刑而多虐。

# 內與外

心即是法，心外無法；未悟之前，法在心外。
法即是心，法外無心；已悟之後，法在心內。
貴內煉者，煉精氣神；內煉養神，神旺形健。
貴外煉者，煉身命形；外煉養形，形健神旺。
主觀唯心，心內無我；內無煩惱，內在解脫。
客觀唯心，心外無法；外無障礙，外在解脫。
心平氣和，游乎方內；心無煩惱，即是菩提。
心安理得，游乎方外；心無罣礙，即是涅槃。

質勝於文，內華且實；內斂而闇，闇然日彰。

文勝於質，外華不實；外露而灼，灼然日亡。

內藥是精，內斂精聚；精聚了性，可以養性。

外藥是氣，外煉氣凝；氣凝了命，可以立命。

起心動念，內不欺己；內無所迷，亦無所障。

舉手投足，外不欺人；外無所惑，亦無所蔽。

內養心性，向內收斂；內涵之我，向內透視。

外修功業，向外發展；外延之我，向外擴張。

内煉氣脈，煉臟腑脈；内實外強，内疾不生。
外煉形骸，煉筋皮骸；外強内實，外病不入。
人之爲腹，以物養己；爲腹於内，内修心性。
人之爲目，以物役己；爲目於外，外逐根塵。
正心誠意，意不妄動；牢拴意馬，外忘貨利。
誠意正心，心不妄念；緊鎖心猿，内無思慮。
正心誠意，格物致知；立德於内，内聖之德。
修身齊家，經國濟世；立功於外，外王之功。

人之品格，顯之於內；品格內涵，內涵內發。

人之名譽，現之於外；名譽外貌，外貌外爍。

不莊不威，不重不威；威德威望，內在之威。

不嚴不威，不學不威；威武威勢，外在之威。

禮之質者，禮自內生；禮自內發，而現諸外。

禮之形者，禮自外制；禮自外爍，而正諸內。

東方文化，教人重內；向內涵養，修養道德。

西方文明，教人重外；向外擴展，發展科學。

內健三寶，煉精氣神；五臟六腑，生之所託。
外健三柱，煉筋皮骨；四肢百骸，命之所寄。
衆生有執，有漏因果；三界之內，生命流轉。
菩薩無執，無漏因果；三界之外，生命還滅。
人心向善，內在之情；導德齊禮，增進善化。
人心向惡，外在之勢；導法齊刑，防止惡化。
內功養性，性命雙煉；養命爲基，養性爲宗。
外功養形，形神交融；養神爲首，養形爲本。

## 入與出

入則孝者，孝順父母；孝以事親，宗族親焉。
出則悌者，悌重兄弟；悌以敬長，鄉黨親焉。

形莫若就，就不欲入；形就而入，爲崩爲蹶。
心莫若和，和不欲出；心和而出，爲妖爲孽。

病從口入，宜愼飲食；少食多動，健康快樂。
禍從口出，宜謹言說；少說多做，平安幸福。

即相行善，入世功德；有漏功德，未了解脫。
離相行善，出世功德；無漏功德，究竟解脫。

入世有相，入現實界；入世有爲，不忘出世。
出世無相，出現實界；出世無爲，不捨入世。
即惑業苦，入世下達；生死輪迴，流轉法門。
離惑業苦，出世上達；涅槃解脱，還滅法門。
苦與集諦，入世流轉；集爲染因，苦爲染果。
滅與道諦，出世還轉；道爲淨因，滅爲淨果。
即世間者，入有所得；入世權假，現象法界。
離世間者，出無所得；出世究竟，實體法界。

## 天與地

立天之道，曰陽曰陰；立人之道，曰仁曰德。
立地之道，曰剛曰柔；立事之道，曰義曰理。

天無私覆，無不包涵；天道致虛，止於至極。
地無私載，無不容納；地道守靜，止於至篤。

乾道爲天，天行健也；自強不息，陽剛之德。
坤道爲地，地勢順也；厚生載物，陰柔之德。

天之高者，天無不覆；日月之明，明無不照。
地之廣者，地無不載；江海之大，大無不容。

輕清之氣，上浮爲天；天之高明，涵覆一切。
重濁之氣，下凝爲地；地之博厚，持載一切。
養本來心，心地虛靈；煉凡習心，煉心入聖。
養本來性，性天澄澈；煉凡習性，煉性登眞。
天生我材，必定有用；上天不生，無用之材。
地長萬物，必須善用；大地不長，無用之物。
行十惡業，下生地獄；若生人間，即受諸苦。
行十善業，上生天堂；若生人間，免受諸苦。

福如青山，永遠常在；福蔭自天，則千家慶。
德似綠水，恆久常流；德厚配地，則萬民安。
善攻擊者，驚動於天；進而攻之，攻則必克。
善守勢者，隱藏於地；退而守之，守則必固。
人起善念，心生光明；光明是因，天堂是果。
人起惡念，心生黑暗；黑暗是因，地獄是果。
人心向善，萬善之本；導人為正，上登天庭。
人心向惡，萬惡之源；導人為邪，下墮地府。

# 道與理

人能澄心，人心自清；人心清者，則天道著。
人能遣欲，人欲自淨；人欲淨者，則天理見。
道以修心，心性自眞；心與道融，心靈自由。
理以持行，行爲自正；行與理契，行動自在。
心存正道，發揚公德；心不奮勉，日漸頹靡。
行持正理，弘揚公義；行不檢束，日漸放蕩。
以道養心，自不動心；不使心者，則心自平。
以理帥氣，自不動氣；不使氣者，則氣自和。

經之與權，正道奇術；守經通權，化禍爲福。
常之與變，正理奇則；處常應變，轉敗爲勝。
內忘身心，亦忘性命；萬慮皆消，同於大道。
外忘天地，亦忘事物；萬有皆遣，同於大理。
仁者樂天，和樂天道；以大事小，以保四海。
智者畏天，敬畏天理；以小事大，以保家邦。
大公無私，天地之道；天地之德，元亨利貞。
至誠無息，聖人之理；聖人之教，仁義禮智

一切冥然，則無對待；無分別心，大道之心。
一切渾然，則無差等；無分別智，大理之智。

攝心入道，自合天道；悖道之心，天道報應。
攝行入理，自合天理；背理之行，天理難容。

至誠為體，不背於道；道彌天下，而無不被。
至敬為用，不逆於理；理彰世間，而無不明。

願以佛道，教化人性；願以佛學，美化人生。
願以佛理，度化人心；願以佛法，淨化人間。

明明道者，以臻至道；天地大道，生生不息。
明明理者，以達至理；天地大理，行行不已。

服人以智，不若以道；正道感人，人無不服。
成事以才，不若以理；正理治事，事無不成。

道以潤身，身體廣胖；明道守本，不忘根本。
理以規行，行爲端方；明理守法，不違律法。

遠大之略，主動之策；矛盾之道，縱橫之術。
全知之明，因應之幾；順反之理，捭闔之情。

# 心與性（行）

性本清淨，性動生情；淨以養性，性淨則定。
心本清靜，心昧生欲；靜以養心，心靜則明。
性定而靜，靜則寂然；氣定而靜，靜則朗然。
心定而靜，靜則安然；神定而靜，靜則泰然。
性爲欲汩，性即昏昧；性氣宜平，平則不偏。
心爲物迷，心即惑亂；心思宜專，專則不雜。
世路崎嶇，風霜侵我；世路風霜，鍊心之境。
世情淡薄，冷暖侮我；世情冷暖，忍性之地。

人無奢欲，無欲性淨；性淨而靜，靜則中焉。
人無妄念，無念心清；心清而定，定則正焉。
抱神以靜，七情不發；遣制七情，心自清之。
忘機以動，六欲不生；斷除六欲，性自淨之。
七情未發，心即是性；性靜定中，靜而中正。
七情已發，性即是心；心動持中，動而中節。
性如天地，萬象皆羅；一塵不染，得大自在。
心如日月，鉅細畢照；一毫不遺，得大逍遙。

心能安詳，神能凝定；先天元神，自然凝寂。
性能安靜，氣能沖和；先天元氣，自然沖虛。
大喜蕩心，心則不寧；可喜而喜，喜不失聲。
大怒煩性，性則不寧；可怒而怒，怒不失色。
人性本清，清則淨矣；做人清淨，無垢無汙。
人心本眞，眞則正矣；做人眞正，不偏不倚。
喜與怒者，道之邪也；嗜而欲者，性之累也。
樂與憂者，德之失也；好而憎者，心之過也。

## 心與行

崇德直心，何須祈念；善因善果，不用拜神。
循理直行，何須祈禱；善業善報，不用求仙。
明明德者，惟德最高；以德養心，正德正心。
明明理者，惟理最大；以理持行，正理正行。
齋以修心，用以制內；持齋修心，內性清淨。
戒以修行，用以齊外；持戒修行，外相莊嚴。
求眞如心，一相不住；修眞如心，不墮輪迴。
依眞智行，一塵不染；修眞智行，不隨業苦。

修心立命，不矜己德；多積陰德，德被千秋。
修行立業，不伐己功；多積陰功，功垂萬世。

心如明鏡，光明不垢；明鏡無塵，立身不卑。
心如直線，正直不歪；直線無曲，處世不苟。

知人之心，心爲行根；審人之心，善惡自見。
見人之行，行爲心發；觀人之行，福禍可知。

一分耕耘，一分收穫；一分修心，一分參悟。
一分精進，一分解脫；一分修行，一分體證。

自覺覺他，覺心圓融；覺化衆生，功德圓滿。

自度度他，度心圓通；度化有情，功業圓全。

禪定修心，心念清正；修心養性，正思正見。

戒律修行，行爲端正；修行養生，正業正命。

日日修心，心定而樂；心有染淨，懺悔趨淨。

天天修行，行深而安；行有惡善，改過向善。

時時觀心，妄想日消；眞性常淨，妄心不生。

處處觀行，妄作日少；眞智常明，妄行不起。

# 理與事

緣起觀法，因緣現起；緣起性空，因果理則。
緣生觀法，因緣所生；緣生相有，因果事象。
理法界者，平等理體；理有固然，理不礙事。
事法界者，差別事象；事有必至，事不礙理。
眞如理體，理依於事；無事之理，理不能立。
萬法事象，事成於理；無理之事，事不能通。
正中偏者，背理就事；從體起用，舉理全事。
偏中正者，捨事入理；攝用歸體，舉事全理。

覺悟於理，自無法執；無所知障，毋障菩提。

覺察於事，自無我執；無煩惱障，毋障涅槃。

理體隱微，理由事現；即理是事，即事明理。

事象顯著，事由理成；即事是理，即理識事。

先而覺之，後而覺之；了覺理體，覺所以然。

先而知之，後而知之；了知事象，知所當然。

理是理性，理能頓悟；悟而證道，即可入聖。

事是事相，事須漸修；修而得道，亦可超凡。

一念之淨，心具理體；理具三千，先天本心。
一念之染，心造事象；事造三千，後天習心。
圓熟理解，理無執著；覺悟見解，即爲圓解。
圓滿事行，事無執著；覺察正行，即爲圓行。
迷於見解，妄見理惑；迷理之惑，障大菩提。
迷於思慮，妄思事惑；迷事之惑，障大涅槃。
共業妄見，知識所生；無知識障，則無理障。
別業妄見，情意所生；無情意障，則無事障。

形上無形，理想世界；理性因果，解脫涅槃。
形下有形，事實世界；事相因果，緣起輪迴。
迷於理體，覺悟之障；欲悟四諦，須斷見惑。
迷於事象，解脫之障；欲出三界，須斷思惑。
深究於理，理從事顯；心與理契，爲理一心。
窮究於事，事依理趣；心與事契，爲事一心。
正位空界，空即理體；理藉事明，無形而隱。
偏位色界，色即事象；事依理立，有形而顯。

# 仁與義

孔子言仁，仁心仁道；仁滿天地，萬古常新。
孟子言義，義行義理；義盡天下，千載常存。

當仁不讓，仁爲己任；我欲行仁，仁則至矣。
見義不辭，義爲己責；我欲行義，義則至矣。

大中大道，中道仁道；發乎仁道，以顯天道。
至正至理，正理義理；循乎義理，以彰天理。

仁以修心，一片仁心；心胸廣大，聖賢心腸。
義以養氣，一腔義氣；氣魄宏偉，豪傑氣概。

兼相愛者，愛於天下；愛天下者，以爲仁也。
交相利者，利於天下；利天下者，以處義也。
仁者好人，亦能惡人；大仁無親，仁者無敵。
義者褒事，亦能貶事；大義無私，義者無懼。
克欲復禮，天下歸仁；居仁盡倫，以正倫常。
格物窮理，天下歸義；由義盡制，以正制度。
了明道德，自不矜誇；本乎仁德，必無災殃。
了知道理，自不好得；依乎義理，必無禍害。

仁以存心，名利浮漚；做人莫謀，不仁名利。
義以持行，富貴浮雲；做事莫圖，不義富貴。
一簞食也，一瓢飲也；明德親仁，無入不得。
一造次也，一顚沛也；明理集義，無往不利。
仁者風教，不須面命；仁德之風，風行草偃。
義者化育，不須面折；義理之化，化民成俗。
既孝且弟，爲仁之本；仁者愛也，事親爲大。
既忠且敬，爲義之宗；義者宜也，尊賢爲大。

法律之前，人人平等；平等博愛，以仁爲本。
法律之內，人人自由；自由民主，以義爲宗。
居仁之心，常思利人；有利衆人，無憂髮膚。
由義之行，常思益事；有益衆事，無慮筋骨。
爲仁由己，非由人哉；居心不仁，則必自殃。
爲義由我，非由他哉；素行不義，則必自斃。
煦煦爲仁，即之溫然；仁者心志，盛衰不改。
孑孑爲義，望之儼然；義者氣節，存亡不易。

人之不仁，雖生猶死；枉有人身，心則死矣。
人之不義，雖生猶滅；枉有人形，靈則滅矣。

爲人君者，善盡仁道；爲人父者，善盡慈道。
爲人臣者，善盡義道；爲人子者，善盡孝道。

愛人不親，自反於仁；敬人不恭，自反於禮。
治事不理，自反於義；處事不圓，自反於智。

知道行道，人所當蹈；知仁行仁，人所當親。
知德行德，人所當得；知義行義，人所當宜。

仁主乎愛，仁慈仁愛；禮主乎敬，禮節敬重。
義主乎理，義行義理；智主乎知，智慧知識。

如心爲恕，以恕待人；推己及人，而止於仁。
中心爲忠，以忠治事；盡己及事，而止於義。

孔曰成仁，殺身成仁；求仁得仁，永恆不滅。
孟曰取義，捨生取義；求義得義，永垂不朽。

儉而能施，即是仁也；儉爲家法，即是禮也。
儉而寡求，即是義也；儉訓子孫，即是智也。

以善養氣，以仁養氣；善與仁養，至中至正。
以直養氣，以義養氣；直與義養，至大至剛。
競於物者；則遺於道，縱於欲者。則害於仁。
爭於名者，則累於德；追於利者，則忘於義。
用人之仁，以去其直；用人之智，以去其詐。
用人之義，以去其執；用人之能，以去其貪。
剛健精神，孕之於內；勁氣潛然，可以成仁。
積極精神，行之於外；英氣勃然，可以取義。

## 容與忍

心存容讓，盡人可容；做人無可，亦無不可。
行持忍讓，凡事可忍；做事有可，亦有不可。
度量寬宏，足以容人；容而能恕，容受一切。
意志堅定，足以忍事；忍而能忠，忍受一切。
無端橫暴，包容於心；大度能容，能容是福。
無故挫辱，含忍於行；大量能忍，能忍便安。
俗情難容，能容得下；容而受之，容人之謗。
俗務難忍，能忍得下；忍而宥之，忍人之毀。

難容能容，奸則不容；奸者必貪，去奸務烈。
難忍能忍，貪則不忍；貪者必奸，除貪務猛。
容受橫逆，增強耐心；容人之怨，可以息怨。
忍受挫折，增強毅力；忍事之難，可以紓難。
摑臉羞辱，能容即容；容得小人，無損大德。
唾面凌辱，能忍即忍；忍得逆事，不亂大謀。
得容且容，得讓且讓；互相尊重，彼此容讓。
得忍且忍，得耐且耐；互相尊敬，彼此忍耐。

## 強與弱

奉法者強，國家則強；抱法處勢，則天下治。
奉法者弱，國家則弱；背法處勢，則天下亂。
示之以弱，弱而能強；弱者之爲，等待時機。
示之以強，強而能弱；強者之爲，創造時勢。
元首聖哉，股肱良哉；吏治清明，國強民富。
元首脞哉，股肱惰哉；吏治腐敗，國弱民窮。
惟大仁者，以強事弱；樂意撫助，樂天之德。
惟大智者，以弱事強；畏懼敬謹，畏天之威。

## 止與觀

修止修定，定是慧體；即定之時，慧在於定。
修觀修慧，慧是定用；即慧之時，定在於慧。
止中有觀，寂而常照；修止而定，念念歸一。
觀中有止，照而常寂；修觀而慧，了了分明。
止即定因，定即止果；止而定之，返妄歸眞。
觀即慧因，慧即觀果；觀而慧之，破邪顯正。
人欲之思，止而寂之；止妄心者，止寂而定。
天理之思，觀而照之；觀眞心者，觀照而慧。

心念靜寂，默默忘言；止默而定，定則靜之。
知性明覺，照照現前；觀照而慧，慧則明之。
養清靜心，心性圓靜；止寂而靜，不急不緩。
修清明智，智慧圓明；觀照而明，不緊不慢。
如如不動，止寂而照；修菩提心，心性圓融。
了了分明，觀照而寂；持般若智，智慧圓全。
心性靜默，默而常照；止默愈深，善照愈強。
智慧覺照，照而常默；觀照愈強，善默愈深。

# 動與靜

知緣起相，動而不亂；動以修身，身勞而安。
明眞如性，靜而不結；靜以養心，心逸而安。
靜而非靜，靜中有動；有靜無動，無以起用。
動而非動，動中有靜；有動無靜，無以復本。
即生滅相，動而有相；有相有形，有分別心。
離生滅相，靜而無相；無相無形，無分別心。
靜主於動，動不失正；動而氣通，理之著也。
動歸於靜，靜不失時；靜而氣復，理之貞也。

無事之時，靜不忌動；無事寂寂，照以惺惺。
有事之時，動不失靜；有事惺惺，主以寂寂。

動以煉形，外煉肢骸；四肢五骸，各盡所能。
靜以煉氣，內煉臟腑；六腑五臟，各效所用。

無善無惡，心性之靜；人之性者，理之靜也。
有善有惡，意情之動；人之情者，氣之動也。

仁者樂山，青山常在；仁者不憂，靜且壽焉。
智者樂水，綠水常流；智者不惑，動且明焉。

性靜勝情，則爲聖哲；德勝於欲，則爲聖人。
情動勝性，則爲凡俗；欲勝於德，則爲凡夫。

人心若靜，心靜而虛；虛則靈也，靈則明也。
人心若動，心動而昏；昏則昧也，昧則惑也。

動功養生，形體鍛鍊；命功煉養，淨化身命。
靜功養生，精神鍛鍊；性功煉養，超化心性。

循理則靜，靜而常覺；因未嘗無，故常應也。
從欲則動，動而常定；因未嘗有，故常寂也。

心火乾燥，在於念起；靜而翕機，則念不起。
腎水氾濫，在於意散；動而專一，則意不散。
氣輕而清，爲天爲動；男動乾道，男爲女主。
氣重而濁，爲地爲靜；女靜坤道，女爲男助。
眞如靜相，無相無心；無心而靜，靜則不結。
緣生動相，有相有心；有心而動，動則不亂。
眞如妙體，心性之靜；心寂而靜，靜則無爲。
眞如妙用，心意之動；心照而動，動則有爲。

# 順與逆

臨順境者，順行法門；人處順境，退一步想。
臨逆境者，逆行法門；人處逆境，進一步想。
唯者和聲，敬順則喜；敬順應聲，致善之本。
阿者厲聲，忿逆則怒；忿逆應聲，致惡之根。
政之所興，在順人心；順人心者，得天下也。
政之所廢，在逆人心；逆人心者，失天下也。
善人之善，惡者之師；順境善緣，理應感恩。
惡人之惡，善者之資；逆境惡緣，亦須感謝。

利人愛人，順天之理；兼相愛者，天下治焉。
害人惡人，逆天之理；交相惡者，天下亂焉。
逆欲循理，從善如登；循理而爲，爲之則福。
順欲遂物，從惡如奔；逐物而爲，爲之則禍。
順如實道，隨順世間；順之而行，入三善道。
逆如實道，拂逆世間；逆之而行，入三惡道。
孟言性善，善本仁義；順性而導，自力內發。
荀言性惡，惡由情欲；逆性而教，他力外爍。

# 物與心（事）

以心觀心，內觀於心；心無其心，欲念不生。
以物觀物，外觀於物；物無其物，貪求不起。

程朱教人，格物致知；由博返約，而道學問。
陸王誨人，明心立本；守簡御繁，而尊德性。

存心不良，祈禱無益；素行不端，膜拜無用。
財物不惜，勤儉無益；元氣不保，服藥無用。

尊道德者，日日修道；誠意正心，修道之門。
勤學問者，日日進學；致知格物，進學之徑。

格物致知，爲學日益；日益日增，多用進法。
正心誠意，爲道日損；日損日減，多用退法。

即心窮理，了悟心性；正心誠意，化凡成聖。
即物窮理，了證物性；格物致知，轉識成智。

涵養道德，居敬爲重；正心誠意，居敬工夫。
探究學識，窮理爲先；格物致知，窮理工夫。

即心窮理，向內致知；內致心理，人心義理。
即物窮理，向外致知；外致物理，事物公理。

處光明中，內養於心；人能和光，光而不耀。
處塵垢中，外隨於物；人能同塵，塵而不染。
即心窮理，破除心執；善制心者，心不外縈。
即物窮理，斷除物執；善役物者，物不內侵。

## 物與事

天地得中，中一位焉；萬物得中，中一育焉。
國家得中，中一治焉；萬事得中，中一成焉。
人心好靜，心靜泰然；靜觀萬物，物不亂心。
人神好清，神清朗然；清察萬事，事不撓神。

治理公事，當如己事；事有始終，慎於隱漸。
處理公物，當如己物；物有本末，謹於幾微。

事固有成，亦有缺也；善用則成，惡用則缺。
物固有新，亦有敝也；善用則新，惡用則敝。

日中則昃，事極必反；事極生敝，敝則反之。
月盈則虧，物盛必衰；物盛轉凋，凋則衰之。

我能役事，不役於事；吾人應事，無牽於事。
我能制物，不制於物；吾人接物，無累於物。

勿輕小事，小隙沈舟；涓流雖小，浸成江河。
勿輕小物，小物毒身；星火雖小，卒能燎原

無時不學，無事不學；學之於事，以明事理。
無處不學，無物不學；學之於物，以知物理。

一日曝之，十日寒之；易生之物，未有能生。
一日作之，十日輟之；易成之事，未有能成。

莊周用心，不將不迎；用心若鏡，應物勿藏。
韓非用法，毋枉毋縱；用法若秤，處事勿苟。

## 善與惡

未生之善，即令生起；已生之善，速令增長。
未生之惡，勿令生起；已生之惡，速令斷除。
惻隱之心，人皆有之；人之作善，人之常態。
爭奪之心，人亦有之；人之作惡，人之變態。
謹修三善，修戒定慧；勤煉三寶，煉精氣神。
息滅三惡，滅貪瞋癡；遠離三害，離酒色財。
性具善者，由善而惡；有善顯現，有惡可能。
性具惡者，由惡而善；有惡顯現，有善可能。

時時爲善，處處爲善；勿以善小，而不爲之。
時時戒惡，處處戒惡；勿以惡小，而不戒之。
一念之善，心中如佛；即心即佛，看人像佛。
一念之惡，心中如魔；即心即魔，看人像魔。
德重禮義，積極教化；人有格心，感而向善。
法重刑罰，消極制裁；人有遁心，畏而避惡。
見人爲善，吾必敬重；人有善願，天必從之。
見人爲惡，吾必警惕；人有惡行，天必懲之。

善爲人者，施恩於人；終身爲善，善名不彰。
惡爲人者，埋怨於人；一日爲惡，惡名昭彰。

人之爲善，近乎名焉；忘名忘善，善無可名。
人之爲惡，近乎刑焉；忘刑忘惡，惡無可刑。

人之善行，世人譽之；父母榮耀，宗族稱許。
人之惡行，世人譏之；父母憂傷，鄉黨譴責。

由奢入儉，儉而有餘；儉而樸之，百善皆興。
由儉入奢，奢而不足；奢而侈之，百惡俱縱。

積善之家，必有餘蔭；積善傳家，子孫必福。

積惡之家，必有餘殃；積惡傳家，子孫必禍。

讚人之言，不可太濫；言人之善，澤於膏沐。

諫人之言，不可太盡；言人之惡，痛於矛戟。

心性善者，即生善念；順善緣者，長己之善。

心智惡者，即生惡念；伏惡緣者，救己之惡。

爲善之人，令人感念；爲善而殂，人人敬仰。

爲惡之人，令人憎恨；爲惡而歿，人人詛咒。

善而善焉，善不可失；勤修善業，誓不退卻。
惡而惡焉，惡不可長；斬除惡業，誓不更作。

見人作善，言必稱讚；人有爭訟，好言勸解。
見人作惡，言必諫諍；人有冤枉，婉言化解。

善有善報，持戒作善；百行之善，以孝爲先。
惡有惡報，持戒止惡；百行之惡，以淫爲首。

人生善念，即起善行；增長善念，擴大善行。
人生惡念，即起惡行；克制惡念，匡正惡行。

莫輕小善，以爲無蔭；積小善者，必得福也。
莫輕小惡，以爲無殃；積小惡者，必招福也。
聽了善言，不可即親；善人可親，但不急合。
聽了惡言，不可即疏；惡人可疏，但不急去。
待人以實，雖疏必親；善氣迎人，人自親之。
與人以虛，雖親必疏；惡氣迎人，人自疏之。
道之與善，善人之寶；善人之善，體用兼備。
道之與惡，惡人之保；惡人之惡，體用未備。

贈人以言，重於珠玉；善言一句，三冬溫暖。
傷人以言，重於劍戟；惡言一句，六月寒冷。
爲聖爲賢，流芳百世；爲善者芳，天地同存。
爲盜爲賊，遺臭萬年；爲惡者臭，草木同朽。
染之以朱，近朱者赤；與善人遊，潛移於善。
染之以墨，近墨者黑；與惡人遊，漸習於惡。
勉人勤愼，輔人節儉；助人爲善，則必致福。
引人逸樂，誘人奢侈；慫人爲惡，則必遭禍。

心起善念，神即顯焉；與神相應，神必佑之。
心起惡念，鬼即現焉；與鬼相應，鬼必纏之。
避善不作，禍之所伏；禍兮而畏，轉禍爲福。
避惡不作，福之所倚；福兮而驕，轉福爲禍。
以善待人，人亦善之；善由己作，爲善最樂。
以惡待人，人亦惡之；惡由己召，爲惡難逃。
勢可爲惡，而不爲惡；一念向善，善必福報。
力可行善，而不行善；一念向惡，惡必禍報。

見人之善，如己之善；見善思齊，思而向善。

見人之惡，如己之惡；見惡思過，思而避惡。

聞一善言，見一善行；爲善去惡，惟恐不及。

聞一惡言，見一惡行；止惡作善，惟恐不速。

人之行善，無小不作；見善如渴，行善接福。

人之戒惡，無微不改；見惡如聾，戒惡遠禍。

人非禽獸，孰能無善；善者勉之，故宜頌揚。

人非聖賢，孰能無惡；惡者憫之，故宜寬恕。

孟子言善，爲人立德；以德導之，道德啓示。
荀子言惡，爲群立法；以法導之，禮法節制。

前念念惡，如雲遮日；黑暗惡行，天必禍之。
後念念善，如日消雲；光明善行，天必福之。

無造作求，心心無念；無念而善，即生樂界。
有造作求，心心有念；有念而惡，即墮苦界。

一字之褒，榮於華袞；做事無善，不須人譽。
一字之貶，嚴於斧鉞；做事無惡，不懼人毀。

無心爲善，自然爲善；人之作善，毋作不善。
無心去惡，自然去惡；人之止惡，毋止不惡。
心識種子，隨淨熏習；背塵合覺，即生善現。
心識種子，隨染熏習；背覺合塵，即生惡現。
道運拯善，天賜好運；掌握道運，不拘命運。
劫運懲惡，天降厄運；扭轉劫運，不困時運。
時時修爲，善小當爲；一毫之善，予人方便。
處處持戒，惡小當戒；一毫之惡，勸人莫作。

善的理念，易萌覺悟；理性向善，易證菩提。
惡的物念，易生迷惘；物性向惡，易起煩惱。
心存善念，善者自興；爲善延年，誰人不悅。
心懷惡念，爲惡自亡；爲惡短壽，那人不懼。
善無現報，並非不報；善業熟時，自然福報。
惡無現報，並非不報；惡業熟時，自然禍報。
心官靈明，所以用思；意識清楚，所以爲善。
心官失明，所以不思；意識模糊，所以爲惡。

人性具善，而不存善；淨緣熏習，現行向善。
人性具惡，而不存惡；染緣熏習，現行向惡。
言作持者，作一切善；作中有止，止惡作善。
言止持者，止一切惡；止中有作，作善止惡。
善因緣者，即得善果；初惡後善，即顯善相。
惡因緣者，即得惡果；初善後惡，即現惡相。
諸惡莫作，不有過錯；人之過錯，宜寬恕之。
衆善奉行，不無功德；人之功德，宜頌揚之。

心正即善，理直即是；作善莫揚，爲善莫名。
心邪即惡，理曲即非；作惡莫隱，爲惡莫諉。
闡提之善，本具性善；不得淨緣，不起修善。
諸佛之惡，本具性惡；不得染緣，不起修惡。
心正相善，相隨心生；正人邪法，邪法亦正。
心邪相惡，相隨心邪；邪人正法，正法亦邪。
心隨淨念，正行日顯；淨業之善，入三善道。
心隨染念，邪行日現；染業之惡，入三惡道。

善的行爲，正面價值；象徵光明，應該爲之。
惡的行爲，負面價值；象徵黑暗，不該爲之。

事成不成，成於善因；善因善緣，必得善果。
事敗不敗，敗於惡因；惡因惡緣，必得惡果。

淨念善行，種入藏識；淨業果報，即得福報。
染念惡行，種入藏識；染業果報，即得禍報。

爲善之心，身顯光明；光明大小，善之大小。
爲惡之心，身顯黑暗；黑暗大小，惡之大小。

見善即舉，舉而能先；薦舉善人，切勿三心。
見惡即退，退而能遠；摒退惡人，切勿二意。

心生善念，善法即起；一切惡門，因而盡關。
心生惡念，惡法即起；一切善門，因而全閉。

有德司契，責付於人；有德善人，天之所福。
無德司徹，苛取於人；無德惡人，天之所禍。

善性日長，惡質日消；道長魔消，心即蓮邦。
惡性日長，善質日消；魔長道消，心即紅塵。

禹湯文武，天子爲善；爲善利人，則得天下。
桀紂幽厲，天子爲惡；爲惡害人，則失天下。
行善利人，順天之意；順天行事，天必佑之。
行惡害人，逆天之意；逆天行事，天必殃之。
先天性具，有善有惡；修清淨業，輪迴善道。
後天熏習，可惡可善；修雜染業，輪迴惡道。
行善利人，亦能利己；多行善事，善業日長。
作惡害人，亦能害己；莫作惡事，惡業日消。

無念正心，心正向善；自淨己意，積極作善。
有念邪心，心邪向惡；自改己過，消極止惡。
先天性善，後天修善；只斷修善，不斷性善。
先天性惡，後天修惡；只斷修惡，不斷性惡。
種如是因，得如是果；種善因者，得善果也。
造什麼業，得什麼報；造惡業者，得惡報也。
心住於善，心善行善；心念欲善，則精進之。
心住於惡，心惡行惡；心念欲惡，則持戒之。

心生善念，吉神已隨；天理昭昭，報應不爽。
心生惡念，凶神已至；天網恢恢，疏漏不失。

先有諸己，再求諸人；己先有善，再求人善。
先無諸己，再非諸人；己先無惡，再非人惡。

善者之行，惡人之師；不貴其師，雖智亦愚。
惡者之行，善人之資；不愛其資，雖悟亦迷。

從前之我，有惡有善；過去種種，如昨日死。
爾後之我，可善可惡；將來種種，如今日生。

爲善必福，爲善不福；惡業餘殃，殃盡必福。
爲惡必禍，爲惡不禍；善業餘蔭，蔭盡必禍。

人若相好，一味行惡；吉神漸退，凶神漸至。
人若相壞，一味行善；凶神漸退，吉神漸至。

漢地菩薩，低眉顯身；勸一切善，護善大德。
藏地金剛，怒目顯身；懾一切惡，伏惡大畏。

顯教菩薩，現眞實身；以善勸善，勸善作善。
密教金剛，現忿怒身；以惡治惡，治惡止惡。

## 迷與悟

集爲因者，苦爲果也；迷界因果，斷集知苦。
道爲因者，滅爲果也；悟界因果，修道證滅。

自性濁染，即是凡夫；自性迷者，佛即衆生。
自性清淨，即是菩薩；自性悟者，衆生即佛。

一念之迷，心處塵世；迷即是凡，迷時師度。
一念之悟，心臨淨界；悟即是佛，悟時自度。

人心迷惑，心由境轉；心隨境轉，心爲境役。
人心悟覺，境由心轉；境隨心轉，境爲心制。

知見立知，從眞起妄；妄心而迷，煩惱所依。

湛入合湛，由妄返眞；眞心而悟，菩提所依。

人之迷者，心迷心生；心生心妄，妄則煩惱。

人之悟者，心悟心息；心息心眞，眞則菩提。

流轉因緣，向迷之境；迷即煩惱，向下入凡。

還滅因緣，向悟之境；悟即菩提，向上成聖。

向下轉識，即入迷境；轉識而迷，染心緣起。

向上轉智，即入悟境；轉智而悟，淨心緣起。

前念迷者，即是衆生；前念著境，即起煩惱。
後念悟者，即是聖佛；後念離境，即發菩提。

迷界生起，無明染業；染熏向下，順緣流轉。
悟界生起，覺性淨業；淨熏向上，逆緣還滅。

迷者衆生，堪忍娑婆；娑婆炎焰，八熱地獄。
悟者衆生，信願極樂；極樂清涼，七寶蓮池。

身已出家，心未入道；心迷之人，仍是俗家。
身未出家，心已入道；心悟之人，便是僧家。

# 漸與頓

前世漸修，今生頓悟；銳根行人，頓而悟道。
來世頓悟，今生漸修；鈍根行人，漸而修道。
漸即漸修，漸即於行；由行門入，修行入道。
頓即頓悟，頓悟於理；從理入門，悟理入道。
一乘頓悟，遇機悟理；由內向外，頓證實相。
三乘漸修，歷劫修行；由外向內，漸證實相。
北漸參禪，漸修證果；漸修之學，解行一體。
南頓參禪，頓悟證果；頓悟之學，知行一如。

事是事相，事必漸修；修而得道，亦可超凡。
理是理性，理能頓悟；悟而證道，即可入聖。

下智鈍根，漸進修行；漸修法門，接下智人。
上智銳根，頓然悟理；頓悟法門，接上智人。

事修是行，事修可漸；事修之中，亦有理悟。
理悟是知，理悟可頓；理悟之中，亦有事修。

小根漸修，三祇之長；不妨一念，亦能成道。
大根頓悟，一念之短；不礙三祇，即能得道。

北宗神秀，演楞伽經；漸進行修，漸修得道。
南宗慧能，演金剛經；頓然覺悟，頓悟證果。
經教教下，經修經證；明理了義，漸進入道。
禪宗宗門，禪悟禪證；明心見性，頓悟入道。
無門法門，由大道入；無門頓修，頓悟法門。
有門法門，由小道入；有門漸修，漸悟法門。
禪是佛意，無言之教；禪家頓悟，不離經教。
教是佛語，有言之禪；教家漸修，不離參禪。

## 義與利

明求貨利，庶人之事；庶人所好，貨財祿利。
明求節義，賢人之事；賢人所守，節操道義。
喻於利者，而急於私；心存功利，行在佔有。
喻於義者，而急於公；心存道義，行在服務。
黎明即起，孳孳爲義；爲義爲理，舜之徒也。
雞鳴而起，汲汲爲利；爲利爲欲，蹠之徒也。
從大體者，心智之思；思及義理，則爲大人。
從小體者，耳目之感；感於利欲，則爲小人。

唯道是務，唯義是從；道義而爲，無爲之爲。
唯功是視，唯利是圖；功利而爲，有爲之爲。
威而不怒，直而不屈；君子行事，不忘公義。
怒而不威，屈而不直；小人行事，不離私利。
小人道消，君子道長；群向上達，尚義則治。
君子道消，小人道長；群趨下流，競利則亂。
君子心性，坦蕩蕩也；君子愛憎，全憑義理。
小人心性，長戚戚也；小人好惡，全憑利欲。

君子拙誠，自求多義；義與善契，則力行之。
小人巧詐，自求多利；利與惡合，則力誠之。
君子向上，常思義理；循乎義理，日近於善。
小人向下，常思利欲；徇乎利欲，日近於惡。
君子深厚，爲義守分；守分即善，循法則福。
小人淺薄，爲利逾分；逾分即惡，違法則禍。
君子之間，以義爲朋；同義則善，國則隆之。
小人之間，以利爲朋；同利爲惡，國則亂之。

君子所爲，明道知義；既明於道，不忘於義。
小人所爲，昧道見利；既昧於道，又計於利。
上稟清氣，賢而君子；君子暇豫，常思義理。
下稟濁氣，愚而小人；小人暇豫，常思利欲。
君子處事，義以合之；合義則是，悖義則非。
小人處事，利以合之；合利則是，悖利則非。
君子重義，而不慮利；自求於義，日近聖賢。
小人重利，而不顧義；自求於利，日近凡俗。

## 相與性

由現相觀，有生有滅；現而不實，欣厭人生。
從實性觀，無生無滅；實而不現，殊勝人生。

諸法空性，不生不滅；不垢不淨，不增不減。
諸法有相，如夢如幻；如泡如影，如露如電。

人之身相，同中有異；俗眼觀之，妙相皆異。
人之心性，異中有同；道眼觀之，眞性俱同。

相如鏡影，鏡影無常；人之形相，瞬間變幻。
性如鏡光，鏡光永住；人之本性，歷劫長存。

涅槃寂靜，重在遣相；自相非實，否定一切。
涅槃清淨，重在顯性；自性非虛，肯定一切。

無著世親，演瑜伽派；分析法相，法相唯識。
龍樹提婆，演中觀派；證悟法性，法性三論。

即一切法，法相有爲；相言現象，諸法事象。
離一切法，法性無爲；性言本體，諸法理體。

以幻境觀，幻相非實；能看得破，物我皆幻。
以眞境觀，眞性非虛；能識得透，物我俱眞。

法相唯識，識轉成智；華嚴眞如，理事圓融。
法性唯空，空慧正觀；天臺中道，三諦圓融。
相即法相，事物形相；顯之於外，可識之相。
性即法性，事物體性；隱之於内，不變之性。
法相宗者，唯識觀也；華嚴宗者，法界觀也。
法性宗者，眞空觀也；天臺宗者，中道觀也。
權教三乘，方便法門；事相妙用，世俗之諦。
實教一乘，究竟法門；理性本體，勝義之諦。

# 眞與妄（俗）

妄心緣起，即生滅相；有相可緣，有緣有執。
眞心緣起，離生滅相；無相可緣，無緣無執。
念生而妄，妄心趨惡；莫作惡事，自無禍報。
覺起而眞，眞心向善；奉行善事，自有福報。
無住生心，即生眞心；捨有捨無，又捨中間。
有住生心，即生妄心；執有執無，又執中間。
人之妄心，心心有念；心有我執，即心非佛。
人之眞心，心心無念；心無我執，即心是佛。

云何應住，應如是住；如是常住，眞心不退。
云何應伏，應如是伏；如是降伏，妄心不起。

菩薩心動，即起眞心；心無我執，故已解脫。
衆生心動，即起妄心；心有我執，故未解脫。

眞心緣起，背塵合覺；染而不染，生命還滅。
妄心緣起，背覺合塵；不染而染，生命流轉。

先天眞心，本心常靜；眞心隨妄，即是凡俗。
後天妄心，習心常動；妄心返眞，即是聖賢。

先天無心，本性直發；眞心所發，自性則有。
後天緣心，本性曲發；妄心所發，自性則無。
心若無執，即顯眞心；眞勝於妄，道強魔弱。
心若有執，即現妄心；妄勝於眞，魔強道弱。
常住眞心，不變隨緣；我雖隨緣，但是不變。
生滅妄心，隨緣不變；我雖不變，但能隨緣。
無漏種子，清淨熏習；淨熏眞心，理想世界。
有漏種子，濁染熏習；染熏妄心，現實世界。

對境有念，有念即妄；妄心生染，世界雜染。
對境無念，無念即眞；眞心生淨，世界清淨。
知見眞心，善行即起；行十善業，莫大功德。
知見妄心，惡行即起；行十惡業，莫大罪過。
先天眞心，本心相同；本心雖善，待教而成。
後天妄心，習心相異；習心雖惡，施教而化。
一念之眞，祥風和氣；導人作善，愉色相勉。
一念之妄，暴風戾氣；匡人止惡，婉詞相勸。

## 眞與俗

所謂眞諦，離有離無；離無離有，斯爲中道。
所謂俗諦，即有即無；即無即有，便是假名。

客觀意識，理性判斷；用理即眞，眞諦之見。
主觀意識，情感判斷；用情即俗，俗諦之見。

眞諦破法，破一切法；空觀照之，俱破諸法。
俗諦立法，立一切法；假觀照之，俱立諸法。

自眞諦觀，萬法皆無；無一無異，無斷無常。
自俗諦觀，萬法皆有；有一有異，有斷有常。

無造作求，無所爲之；無爲眞諦，斯是性體。
有造作求，有所爲之；有爲俗諦，斯是相用。

言眞諦者，勝義諦也；已悟道理，菩薩眞見。
言俗諦者，世間諦也；未悟道理，衆生俗見。

心離六根，心脫六塵；心脫根境，即顯眞心。
心著六根，心處六塵；心處根境，即現俗心。

眞而悟者，平等界也；眞諦言法，諸法皆空。
俗而迷者，差別界也；俗諦言法，諸法皆有。

# 心與境

心爲主體，無念爲本；內無心念，境相不起。
境爲客體，無相爲宗；外無境相，心念不生。
見分能知，能觀心識；心爲能緣，心隨境顯。
相分所知，所觀境界；境爲所緣，境隨心現。
心即是境，心外無境；未悟之前，境在心外。
境即是心，境外無心；已悟之後，境在心內。
放下六識，放下心識；內無心識，則不逐外。
放下六塵，放下境塵；外無境塵，則不緣內。

認識內心，以斷心執；先破我執，次破法執。
認識外境，以斷境執；先破法執，次破我執。

人宜制心，不隨心轉；于心識上，常離諸境。
人宜役境，不隨境轉；于境物上，不生諸心。

向內觀心，內覺心身；心身變化，諸行無常。
向外觀境，外覺境物；境物變化，諸法無常。

處光明中，內養於心；人能和光，光而不耀。
處塵垢中，外隨於境；人能同塵，塵而不染。

有情心身，別業所感；根身正報，生住異滅。
無情境物，共業所感；器物依報，成住毀空。

心空境有，息心住境；於心無心，心不緣境。
境空心有，忘境住心；對境無境，境不緣心。

泯心存境，接下根人；泯境存心，接中下人。
泯境泯心，接中上人；存心存境，接上根人。

泯心泯境，否定心境；心境皆泯，於道無礙。
存境存心，肯定境心；境心俱存，於道無損。

## 禪與淨

禪宗教人，觀想實性；專仗自力，爲難行門。
淨土教人，持名念佛；兼仗他力，爲易行門。
修淨之心，有心有境；修淨三昧，而現一佛。
參禪之心，無心無境；參禪三昧，而无一佛。
禪宗修行，自力引發；自力引證，見性成佛。
淨土修持，他力加被；他力加持，往生極樂。
禪門參悟，明心見性；律宗持戒，止惡作善。
淨門誦經，發願往生；密教念咒，內證眞言。

參學修禪，返乎初心；無心而參，參無相佛。
念經修淨，定於一心；有心而念，念有相佛。
淨修而念，善自念定；念而無念，無念而念。
禪修而參，善自參悟；參而無參，無參而參。
己身力強，信願自力；行證參禪，自力解脫。
己身力弱，信願他力；持戒修淨，他力解脫。
般若空系，中觀空論；法性天臺，禪宗道化。
唯識有系，瑜伽有論；法相華嚴，淨土儒化。

## 陰與陽

乾卦卦象，爲天爲陽；因陽玉陰，孤陰不生。
坤卦卦象，爲地爲陰；用陰濟陽，獨陽不長。
坎卦卦象，爲水爲陰；陰中有陽，蘊蓄一陽。
離卦卦象，爲火爲陽；陽中有陰，潛伏一陰。
冬至陽生，晝長夜短；白晝日長，黑夜日短。
夏至陰生，夜長晝短；黑夜日長，白晝日短。
男離離卦，外陽内陰；取坎塡離，抽添翕聚。
女坎坎卦，外陰内陽；採離補坎，闔闢含育。

離宮一陰，離中眞陰；修性守離，神不捨氣。
坎宮一陽，坎中眞陽；修命守坎，氣不捨神。
陽極必反，反則生陰；陰根於陽，陽盛陰衰。
陰極必反，反則生陽；陽根於陰，陰盛陽衰。
謀之於陰，神而明之；運陰濟陽，陰而陽矣。
成之於陽，明而神之；假陽行陰，陽而陰矣。
陽主光明，陽道生之；陽主生長，陽道成之。
陰主幽暗，陰道肅之；陰主肅殺，陰道敗之。

春夏養陽，春生夏長；春天養生，夏天養長。

秋冬養陰，秋收冬藏；秋天養收，冬天養藏。

文以敷治，陽道之正；即正即詭，詭不可測。

武以撥亂，陰道之奇；即奇即變，變不可窮。

父相如山，挺拔而立；父道陽剛，在於創生。

母相似水，隨機而轉；母道陰柔，在於化成。

由冬至始，漸及夏至；陽氣漸長，陰氣漸消。

從夏至起，漸及冬至；陰氣漸長，陽氣漸消。

## 有與無（空1色）

本貴無觀，無而不虛；無含容有，由體達用。
依崇有觀，有而不實；有存於無，由用明體。
無而不無，虛而不虛；無之爲用，貴乎虛用。
有而不有，實而不實；有之爲用，貴乎實用。
我應該無，去我本無；去我之妄，去我之惡。
我應該有，還我固有；還我之眞，彰我之善。
從無言之，謂之無極；無極也者，太極之體。
從有言之，謂之太極；太極也者，無極之用。

無即道體，萬法之始；靜觀萬法，觀無之妙。

有即道用，萬物之母；動觀萬物，觀有之竅。

法因緣生，緣生則聚；此生彼生，此有彼有。

法因緣滅，緣滅則散；此滅彼滅，此無彼無。

人應該有，應有功德；人不該有，不有罪惡。

人應該無，應無罪惡；人不該無，不無功德。

入世之生，以有爲樂；入世因果，有苦有樂。

出世之生，以無爲樂；出世因果，無苦無樂。

## 有與空

宇宙本體，本體實相；實相眞空，不變恆常。
天地現象，現象緣起；緣起妙有，生滅無常。
本眞空觀，空而不虛；空而不空，不空而空。
依妙有觀，有而不實；有而不有，不有而有。
諸法皆空，空中見有；是空是有，悉從心生。
諸法皆有，有中見空；亦有亦空，悉由心作。
法唯識現，故空即有；欲破有見，說勝義空。
法因緣生，故有即空；欲破空見，說世俗有。

一切諸法，緣生無性；無性眞空，空不捨有。
一切諸法，無性緣生；緣生妙有，有不捨空。
執空遣空，空不離有；法本不有，莫作空見。
執有遣有，有不離空；法本不空，莫作有見。
一切萬法，隨見空之；心空即空，心計空之。
一切萬法，隨見有之；心有即有，心計有之。
觀空非空，觀空亦空；亦空非空，空不空也。
觀有非有，觀有亦有；亦有非有，有不有也。

我有法有，經驗之有；有不離空，空不礙有。
我空法空，超驗之空；空不離有，有不礙空。

一法不有，不成眞空；究竟眞空，就是妙有。
一法不空，不成妙有；遍常妙有，就是眞空。

緣生無性，遮詮顯體；八不中道，畢究空義。
無性緣生，表詮顯相；識變因果，如幻有義。

有宛然空，攝有之空；空不定空，事物實相。
空宛然有，攝空之有；有不定有，事物假象。

心雖遣有，而不著空；雖空非空，非空而空。
心雖遣空，而不著有；雖有非有，非有而有。
以大圓覺，攝一切空；空藏妙有，具包容性。
以大智慧，破一切有；有觀眞空，具創造力。
若見諸相，即見非相；非相即空，而見如來。
若見諸相，即見是相；是相即有，不見如來。
由苦集諦，緣起現象；苦集俗諦，俗諦故有。
從滅道諦，解脫涅槃；滅道眞諦，眞諦故空。

龍樹說空，但不離有；勝義言空，是畢究空。
無著說有，而不離空；世俗言有，是假名有。

天臺立論，由空門入；以實體界，直爲現象。
華嚴立論，從有門入；以現象界，直爲實體。

彌勒菩薩，善說有義；妙有法門，彰有顯空。
文殊菩薩，善說空義；眞空法門，顯空彰有。

大乘空義，演中觀論；清辨確立，智光守持。
大乘有義，演瑜伽論；護法確立，戒賢守持。

心若定有，不可令空；以不定有，有則非有。

心若定空，不可令有；以不定空，空則非空。

中觀說空，以空說有；由空而有，即有之空。

瑜伽說有，以有說空；由有而空，即空之有。

空宗之空，緣起顯空；緣起事物，空而非空。

有宗之有，緣生現有；緣生事物，有而非有。

般若講空，緣起眞空；一切事物，悉由緣起。

涅槃講有，佛性妙有；一切衆生，皆具佛性。

## 空與色

色不異空，緣起性空；色即是空，緣生無性。
空不異色，性空緣起；空即是色，無性緣生。
色即是空，看色見空；因色顯空，即色即空。
空即是色，觀空見色；因空現色，即空即色。
色外無空，全色爲空；離色無空，色體即空。
空外無色，全空爲色；離空無色，空體即色。
色不異空，色無自性；色即是空，色因空有。
空不異色，空無自性；空即是色，空因色有。

色是幻色，必不礙空；若礙於色，即是斷空。
空是靈空，必不礙色；若礙於空，即是實色。
地水火風，四大即色；四大非有，物質遷流。
受想行識，四蘊即空；四蘊非眞，心智變化。
色不異空，是色非空；色即是空，即色即空。
空不異色，是空非色；空即是色，即空即色。
色不異空，空不異色；稱不異者，平等之性。
空即是色，色即是空；稱即是者，一如之體。

# 體與用

仁之性者，仁爲體也；凡仁民者，必須親民。愛之情者，愛爲用也；凡愛物者，必定惜物。

自正而偏，由眞起妄；從體起用，背理就事。自偏而正，返妄歸眞；攝用歸體，捨事入理。

大體大人，小體小人；擴充小體，完全大體。大用大事，小用小事；擴展小用，完成大用。

色不異空，色即是空；無性無體，以破執有。空不異色，空即是色；有相有用，以破執無。

有所作爲，有爲事用；有爲之爲，自然現象。

無所作爲，無爲理體；無爲之爲，必然法則。

相即言體，總即爲別；相即相融，一即一切。

相入言用，別入於總；相入相攝，一切入一。

正中偏者，由體起用；由實相界，向現象界。

偏中正者，從用歸體；從現象界，返實相界。

人之眞見，見之於性；性觀天道，渾然之體。

人之眞知，知之於理；理觀天下，同然之用。

心之爲體，無形無象；寂靜而虛，虛靈不昧。
心之爲用，有形有能；感動而神，神妙莫測。
正者體也，形上超驗；絕對平等，理想世界。
偏者用也，形下經驗；相對差別，現實世界。
心之與情，性之體也；氣之與質，性之內也。
義之與理，性之用地；形之與象，性之外也。
君者明體，在尊德性；博學問也，道中庸也。
君者達用，在致廣大；盡精微也，極高明也。

## 道與德

道同天地，至廣至大；道生萬物，莫不尊焉。

德如日月，至昭至月；德畜萬物，莫不貴焉。

有道之君，秉要執本；不責於民，天必福之。

無德之君，繁刑嚴誅；肆威於民，天必禍之。

物我兩忘，天地之大；天人合道，兩不相勝。

物我兩得，天地之美；天人合德，兩不相傷。

志於道者，可參天地；道貫古今，守之以謙。

崇於德者，可贊化育；德施世間，守之以讓。

以道爲體，以術爲用；道之與術，體用兼備。
以德爲本，以藝爲末；德之與藝，本末兼賅。

道爲體者，體居於內；向內反觀，常而不變。
德爲用者，用施於外；向外發展，變而有常。

德施天下，守之以讓；聰明睿智，守之以愚。
道貫古今，守之以謙；多聞博辯，守之以儉。

道本自有，元來面目；吾與道化，則與道合。
德由自發，當然行爲；吾與德化，則與德合。

## 中與和

天地定位，以中爲本；中而不倚，無偏無私。
萬物化育，以和爲貴；和而不流，無妄無污。

中以持己，性靜而中；性爲情體，情緣性生。
和以待人，情諧而和；情爲性用，性緣情見。

惟精惟一，允執於中；中爲道體，不偏不倚。
惟善惟當，推致於和；和爲道用，不乖不戾。

頂天立地，中流砥柱；以道執中，中以立身。
經天緯地，和衷共濟；以理致和，和以處世。

中是道體，自然性理；致中之極，天地位焉。
和是道用，共由達路；致和之極，萬物育焉。
禮自內發，而形諸外；禮之體者，中爲本也。
禮自外爍，而正諸內；禮之用者，和爲貴也。
中者道體，宇宙本體；天地中正，天地均衡。
和者道用，人生功用；內心中正，內心均衡。
性靜而善，隱之於內；人能執中，則不偏倚。
情正而眞，顯之於外；人能致和，則不乖戾。

## 禮與法

據禮守分，不願爲惡；革人之惡，先革人心。
據法守職，不敢爲非；格事之非，先格事物。
荀言性惡，以禮治之；禮儀禮讓，調節行爲。
韓言性惡，以法制之；法律法紀，規範行爲。
禮儀規範，爲人所遵；禮止於内，禁於將然。
法律規定，爲事所循；法止於外，禁於已然。
荀卿主禮，禮在於別；別尊卑之，長幼有序。
韓非主法，法在於齊；齊貴賤之，親疏無殊。

與賢人遊，以禮待之；禮使人親，禮使人化。
與俗人遊，以法制之；法使人遵，法使人畏。

孔子言仁，仁心仁道；荀卿言禮，禮樂禮制。
孟子言義，義行義理；韓非言法，法律法度。

道之以德，不願爲非；齊之以禮，不忍爲非。
道之以政，不能爲非；齊之以法，不敢爲非。

荀主性惡，性中有欲；禮以化欲，節欲制惡。
韓主性惡，性中有私；法以防私，杜私罰惡。

## 禮與義

惻隱之心，仁之端也；羞惡之心，義之端也。
是非之心，智之端也；辭讓之心，禮之端也。
窮不失志，窮必有名；窮不失義，窮則獨善。
達不離道，達必有功；達不失禮，達則兼善。
以仁爲恩，以義爲理；道德不廢，安取仁義。
以樂爲和，以禮爲行；性情不離，焉用樂禮。
發乎情者，止乎禮也；出乎禮者，入乎刑也。
發乎欲者，止乎義也；出乎義者，入乎罰也。

非禮不言，言必思禮；一言一語，不可苟且。
非義不行，行必思義；一行一動，不可苟處。
人出巧辭，敬以接之；人出厲辭，禮以答之。
人若用術，誠以感之；人若使氣，義以服之。
以禮養人，養人之欲；內不迷欲，不窮於物。
以義給人，給人之物；外不蔽物，不屈於欲。
禮乎禮乎，禮以治內；人不知禮，則無以立。
義乎義乎，義以制外；人不知義，則無以行。

## 愛與敬

父慈子孝，父子有親；兄友弟恭，兄弟有敬。
君仁臣忠，君臣有義；夫良婦賢，夫婦有愛。

人能自重，必能自愛；愛親愛人，不惡於人。
人能自尊，必能自敬；敬親敬人，不慢於人。

誠心誠意，相愛以誠；恕道恕宥，互諒以恕。
禮讓禮節，相敬以禮；勤勞勤儉，互助以勤。

善與人同，則持大同；求大同者，愛其所同。
惡與人異，則忍小異；存小異者，敬其所異。

本乎理性，愛其所親；心中有愛，人人快樂。
依乎理智，敬其所尊；心中有敬，事事如意。
夫愛人者，人恆愛之；人不愛我，吾亦愛之。
夫敬人者，心恆敬之；人不敬我，吾亦敬之。
吾敬吾老，及人之老；老者安之，老有所終。
吾愛吾幼，及人之幼；幼者懷之，幼有所長。
自愛愛人，人心圓融；互愛互惠，事理圓全。
自敬敬人，人倫圓滿；互敬互助，事行圓成。

## 人與己

大同社會，天下爲公；親及人親，貨力爲公。
小康社會，天下爲私；親及己親，貨力爲私。

恕己之心，以之恕人；恕人以寬，春風接人。
責人之心，以之責己；責己以嚴，秋風肅己。

祖宗福澤，珍而惜之；薄以持己，即是惜福。
子孫福祉，貽而培之；厚以待人，即是培福。

寧己厚人，毋人厚己；待人寬厚，則福自厚。
寧人薄己，毋己薄人；待人刻薄，則福自薄。

待人宜寬，輕而約之；一念之寬，和風春露。

律己宜嚴，重而周之；一念之嚴，烈日秋霜。

人之情意，不可拂也；人情不拂，恕而調之。

己之情意，不可縱也；己情不縱，忍而制之。

怒言相斥，怒聲相吼；念我之錯，己之氣息。

怒行相向，怒色相見；說我之錯，人之氣消。

我雖至愚，責己者明；責己律己，不妨宜多。

我雖至聰，責人者昏；責人律人，不妨宜少。

適人之性，不忤於人；人有過失，盡量寬恕。

適己之性，不逆於己；己有錯誤，立即懺悔。

禹湯罪己，興之也勃；責己得衆，得道則興。

桀紂罪人，亡之也忽；責人失衆，失道則亡。

不見有己，則己無能；念我不是，則己心平。

不見有人，則人無過；說我不是，則人心平。

損己利人，不必爲之；損己損人，義勿爲之。

損人利己，不能爲之；利人利己，義而爲之。

我有煩惱，寧歸於己；己有愆尤，則懺悔之。
我有快樂，分送於人；人有功德，則稱讚之。
用之則行，行而駕之；兼善於人，兼善天下。
捨之則藏，藏而隱之；獨善於己，獨善自身。
內聖修道，重在覺己；內審於己，知己克己。
外王行道，重在度人；外觀於人，知人安人。
儉於理者，謂之儉也；薄奉自己，曰儉約也。
吝於財者，謂之吝也；薄施於人，曰吝嗇也。

爲衆人想，公益之爲；好人之好，忘己之好。
爲一己想，私益之爲；好己之好，忘人之好。
做人謙恭，凡事韜晦；不獨益己，抑且益人。
做人傲慢，凡事炫耀；不僅損人，抑且損己。
小乘小舟，運載自身；一己解脫，獨度彼岸。
大乘大舟，運載自他；衆人解脫，同度彼岸。
有功於人，切不可念；有過於人，不可不念。
有恩於己，切不可忘；有怨於己，不可不忘。

人有不善，理應勸戒；有讟於己，立即化解。
己有不善，理當改過；有愧於人，立即懺悔。

利人之爲，爲無所求；利人之善，即是眞善。
利己之爲，爲有所圖；利己之善，便是假善。

有恩於人，不求他報；恩不妄施，施而惠之。
有怨於己，不與他較；怨不宜結，結而化之。

修小乘道，立己達己；修道覺己，自登道岸。
行大乘道，立人達人；行道覺人，同登道岸。

人虧己者，己虧是福；因己之失，失而轉福。
己虧人者，人虧是禍；因人之得，得而轉禍。

非禮勿聽，以禮律己；非禮勿言，以禮治國。
非禮勿視，以禮待人；非禮勿動，以禮經世。

求諸內者，求之在己；凡事求己，皆屬可靠。
求諸外者，求之在人；凡事求人，皆非可靠。

責己恕人，成人之善；嚴以責己，內不欺己。
責人恕己，長己之惡；寬以責人，外不欺人。

盡心投入，燃燒自己；盡心推己，奉獻自己。
忠心付出，照亮別人；忠心恕人，服務他人。
是非於我，審之於己；得失於我，安之於數。
譽毀於我，聽之於人；生死於我，由之於命。
屈人之兵，不攻而克；知人知己，百戰不殆。
拔人之城，不攻而破；昧己昧人，每戰必殆。
知雄守雌，居靜制動；知榮守辱，上人屈己。
知黑守白，處幽用明；知貴守賤，退己進人。

聖者盡倫，以盡倫常；內以修己，以顯聖德。

王者盡制，以盡制度；外以安人，以彰王道。

自己之善，宜多歛藏；不說己長，涵育養深。

他人之惡，宜多隱藏；不談人短，渾厚養大。

功不獨居，功則稱人；有功且善，切勿驕矜。

過不推諉，過則歸己；有過且惡，尤須懺悔。

人有富貴，我不忮之；吾不忮求，不嫉人有。

己無富貴，我不求之；吾不貪圖，不恥己無。

# 男與女

乾道成男，男而健之；男欲得偶，以女爲室。
坤道成女，女而順之；女欲得託，以男爲家。
男有分者，有職分也；男有職志，外無曠男。
女有歸者，有于歸也；女有于配，内無怨女。
女選賢婿，須觀頭角；擇得才子，毋索重聘。
男選賢媳，須觀庭訓；擇得佳人，毋計厚奩。
男子煉氣，先守下田；煉氣補精，精元爲命。
女子煉氣，先守中田；煉氣補血，血元爲命。

## 老與少

笑嘻嘻者，笑口常開；一笑一少，笑則年少。
怒忿忿者，怒目相視；一怒一老，怒則年老。
少壯心思，少年胸襟；少年浮輕，宜制燥氣。
老邁心思，老年識見；老年持重，宜振暮氣。
年少之時，事事用心；多施多笑，多笑長命。
年老之時，事事息心；寡欲寡怒，寡怒益壽。
少年氣色，血氣方剛；心智未定，戒之在鬥。
老耄氣色，血氣既衰；心力交瘁，戒之在得。

# 苦與樂

前世作善，現生得樂；今生作善，來世得樂。
前世作惡，現生受苦；今生作惡，來世受苦。
心若有住，即有所求；有求則煩，心煩皆苦。
心若無住，即無所求；無求則安，心安乃樂。
任何造業，於人、於己；導致安樂，就是善業。
任何造業，於人於己；導致痛苦，就是惡業。
心無造作，即顯淨業；淨業無相，必得樂報。
心有造作，即現染業；染業有相，必得苦報。

行一善事，心中泰然；心情快樂，心逸日休。
行一惡事，心中愧然；心情痛苦，心勞日拙。

因緣聚合，緣生有相；有爲雜染，困苦因果。
因緣離散，緣滅無相；無爲清淨，安樂因果。

心迷惑時，世間轉心；迷時樂土，仍是苦海。
心覺悟時，心轉世間；悟時苦海，便是樂土。

善因善緣，親善知識；人行善法，即生樂趣。
惡因惡緣，離惡知識；人行惡法，即墮苦趣。

追逐根塵，如鳥投網；背覺合塵，輪迴之苦。
回脫根塵，如鳥出籠；背塵合覺，涅槃之樂。
世間無常，無常故苦；世間雖苦，不厭世間。
涅槃寂靜，寂靜故樂；涅槃雖樂，不欣涅槃。
不畏生死，不離世間；不捨世間，生死之苦。
不急解脫，不羨涅槃；不住涅槃，解脫之樂。
順生命觀，順緣流轉；流轉輪迴，人生之苦。
逆生命觀，逆緣還滅；還滅解脫，人生之樂。

正見正知，善念善行；善因熏習，招感樂果。
邪見邪知，惡念惡行；惡因熏習，招感苦果。

無緣大慈，慈以予樂；予一切樂，慈無量心。
同體大悲，悲以拔苦；拔一切苦，悲無量心。

眞心而動，順理利人；常造善業，即顯樂報。
妄心而動，逆理害人；常造惡業，即現苦報。

宿習善業，當下念惡；惡行愈多，轉福爲苦。
宿習惡業，當下念善；善行愈多，轉禍爲樂。

# 福與禍

無名無實，是物之虛；實過於名，福之所依。
有名有實，是物之眞；名過於實，禍之所伏。
多樹德者，足以福心；樹德造福，人人稱善。
常作孽者，足以禍心；作孽招禍，人人厭惡。
爲善而樂，仍有惡習；逢福而恃，自不得福。
爲惡而畏，猶有善念；遇禍而懼，自不招禍。
兼愛於人，積愛得福；福不力致，福在積善。
抱怨於人，積怨惹禍；禍不智逃，禍在積惡。

行善而禍，殃盡福至；福至休喜，要能惜福。
行惡而福，蔭盡禍來；禍來休憂，要能避禍。

天欲福人，微禍儆之；遇禍而畏，禍反成福。
天欲禍人，微福驕之；逢福而驕，福反成禍。

積善成福，福不空來；饒人即福，福至心靈。
積惡成禍，禍不虛至；虧人即禍，禍來神昧。

爲善見禍，善業未熟；至其善熟，必受其福。
爲惡見福，惡業未熟；至其惡熟，必受其禍。

人如爲善，爲善必福；福雖未至，禍已遠離。
人如爲惡，爲惡必禍；禍雖未至，福已遠離。
算什麼命，饒人是福；看什麼相，助人是福。
問什麼卜，欺人是禍；占什麼卦，虧人是禍。
爲善者隱，陰善福大；爲善者顯，陽善福小。
爲惡者隱，陰惡禍重；爲惡者顯，陽惡禍輕。
國家將興，必有禎祥；禎祥善兆，萬民之福。
國家將亡，必有妖孽；妖孽惡兆，萬民之禍。

莫大之福，在於無禍；禍兮而憂，憂則興之。
莫大之禍，在於邀禍；福兮而樂，樂則亡之。

塞翁失馬，焉知非福；禍隱福種，福之所倚。
塞翁得馬，焉知非禍；福藏禍種，禍之所伏。

善爲福先，福生有基；納於善基，福何不至。
惡爲禍始，禍生有胎；絕於惡胎，禍自不來。

人雖遭禍，仍不修善；既無修善，自不得福。
人雖致福，但不作惡；既無作惡，自不招禍。

敬天行事，天必佑之；風調雨順，上天賜福。
逆天行事，天必儆之；風狂雨暴，老天降禍。
善之爲善，象徵光明；作善造福，福被蒼生。
惡之爲惡，象徵黑暗；作惡招禍，禍及庶民。
百事之成，必在敬之；敬而懼者，懼爲福種。
百事之敗，必在慢之；慢而忽者，忽爲禍胎。
行坦途者，肆而輕忽；禍起於忽，疾走則蹶。
行險途者，畏而謹愼；福生於愼，徐步則安。

## 凡與聖

喜於佈施，報恩人生；聖賢心志，理想人生。
好於佔有，討債人生；凡俗心念，現實人生。
身體生滅，草木同朽；凡俗修爲，凡夫境界。
心智生命，天地同久；聖賢修爲，聖人境界。
人心一善，萬善生焉；心靈清淨，聖哲人生。
人心一惡，萬惡生焉；心靈濁染，凡俗人生。
凡夫心動，心有所住；有我執者，未解脫也。
聖賢心動，心無所住；無我執者，已解脫也。

無生有生，有生有苦；來時有生，流轉凡間。
有生無生，無生無苦；去時無生，還轉聖界。
自傲才能，無不是處；愈流愈下，終為凡人。
自謙才能，有不是處；愈達愈上，乃為聖人。
聖賢之行，行於無行；無行為行，無所不行。
凡夫之行，行於有行；有行為行，有所不行。
大根大行，念而有覺；念即能覺，便是聖哲。
小根小行，念而無覺；念不能覺，便是凡俗。

生命之海，無邊無際；修養生命，超凡入聖。
生命之光，無窮無盡；充滿生命，超聖入凡。
眞如緣起，即生淨心；心淨而善，即顯四聖。
業感緣起，即生染心；心染而惡，即現六凡。
有主肯定，有是假相；凡夫見有，見世俗有。
空主否定，空是實性；聖智見空，見畢竟空。
人之俗念，有住生心；俗心現起，凡俗境界。
人之眞念，無住生心；眞心顯起，聖眞境界。

# 天與人

自誠明者，誠而明之；至誠盡性，天然之道。
自明誠者，明而誠之；致誠施教，人爲之道。
謀事在人，成事在天；克盡人力，以聽天命。
成事在天，謀事在人；克盡人力，以勝天命。
天道之常，有旦有夜；天道有常，亦有化也。
人命之常，有生有死；人命有常，亦有變也。
無端怨天，天必不許；逆於天者，天時不順。
無故尤人，人必不服；逆於人者，人事不和。

敬禮於天，天則助之；敬禮於神，神則佑之。
敬禮於人，人則服之；敬禮於己，己則尊之。

凡欲復性，必先明性；明性見性，性者天也。
凡欲保生，必先知生；知生達生，生者人也。

誠可格天，天不可奪；不祈於天，自得天助。
誠可感人，人不可奪；不祈於人，自得人助。

命自我立，而不由天；命由我主，聖自我作。
福自我求，而不由人；福由我召，德自我修。

貧富貴賤，聽之於天；不得於天，亦不怨天。
毀譽愛憎，聽之於人；不捨於人，亦不尤人。
天地中正，天地均衡；合乎常理，達乎常道。
人心中正，人心和諧；履乎常情，止乎常性。
天體生化，一氣鼓盪；天氣不順，易釀天災。
人體生命，一氣周流；人氣不和，易造人禍。
夫無爲者，即天道也；無爲同天，順乎天理。
夫有爲者，即人道也；有爲同人，因乎人情。

# 春夏與秋冬

立春春生，萬物生育；立夏夏長，萬物成長。

立秋秋收，萬物收斂；立冬冬藏，萬物閉藏。

凡柔弱者，春夏之氣；春露夏雨，萬物滋長。

凡剛強者，秋冬之氣；秋霜夏雪，萬物成熟。

念頭寬厚，春化夏育；萬物逢之，自然生長。

念頭刻薄，秋肅冬殺；萬物遇之，自然死滅。

一念之寬，寬以待人；聖賢氣象，春夏和煦。

一念之嚴，嚴以律己；聖賢準則，秋冬肅穆。

## 剛柔與強弱

剛而不剛，柔而不柔；遇剛則剛，遇柔則柔。
強而不強，弱而不弱；遇強則強，遇弱則弱。
人若剛者，附之以柔；人若柔者，振之以剛。
人若強者，抑之使弱；人若弱者，激之使強。
柔而能剛，以柔克剛；亦剛亦柔，剛柔互濟。
弱而能強，以弱致強；亦強亦弱，強弱互用。
柔中有剛，剛而不虐；寬中有嚴，嚴而不苛。
強中有弱，弱而不懦；嚴中有寬，寬而不弛。

剛而能柔，用剛之道；柔而能剛，用柔之道。
強而能弱，用強之道；弱而能強，用弱之道。

示之以柔，迎之以剛；有以剛勝，有以柔勝。
示之以弱，乘之以強；有以強勝，有以弱勝。

能剛能柔，剛柔相濟；柔而不剛，柔則可卷。
能強能弱，強弱併用；弱而不強，弱則可守。

知動知靜，知剛知柔；以正制奇，以常制變。
知榮知辱，知強知弱；以實致虛，以拙致巧。

## 得意與失意

逢失意時，毋太快口；快口之言，少言無悔。
逢得意時，毋太快心；快心之事，少事無憾。
稱意之時，寧不喜悅；得意之時，寧不昂揚。
拂意之時，寧不忿怒；失意之時，寧不氣餒。
人得意時，往高處看；遇得意處，須留退路。
人失意時，往低處看；遇失意處，須尋出路。
居順境中，不以爲喜；逢得意事，處之以淡。
居逆境中，不以爲憂；逢失意事，治之以忍。

人無事時，戒一偷字；得意之時，戒一滿字。
人有事時，戒一亂字；失意之時，戒一餒字。

人得意時，心宜淡然；無事之時，心宜澄然。
人失意時，心宜泰然；有事之時，心宜斬然。

得道多助，順天之意；順則得之，衆人服之。
失道寡助，逆天之意；逆則失之，衆人叛之。

泰卦卦象，乾上坤下，天地通暢，萬物得養。
否卦卦象，坤下乾上，天地隔塞，萬物失養。

## 守分與守法

做人守分，尊重人格；人格人身，不可侵害。
做事守法，遵循事理；事理事物，不可侵犯。
講求自由，恪守名分；守分爲樂，逾分爲羞。
追求民主，遵守律法；守法爲榮，違法爲恥。
自由至上，平等爲貴；自由守分，尊重人性。
民主至上，紀律爲重；民主守法，維護人權。
崇道守分，不願爲惡；自省己愆，自易己惡。
崇理守法，不敢爲非；自反己過，自改己非。

知分守分，無非分心；謹守分際，扮好角色。

知法守法，無非法行；嚴守法紀，善盡職責。

守分安心，圓融人性；人性圓融，安心立命。

守法安身，圓全事理；事理圓全，安身立業。

自覺守分，自不逾分；自尊自重，堂堂正正。

自覺守法，自不違法；自立自強，規規矩矩。

自由守分，要明道理；人人守分，安分務實。

民主守法，要依規矩；人人守法，崇法盡職。

# 天理與人欲

心智正者，正即天理；心契天理，性之靜也。
心智偏者，偏即人欲；心契人欲，情之動也。
天理之心，善小要作；心存天理，日近聖賢。
人欲之心，惡小要戒；心縱人欲，日漸凡俗。
一念人欲，即覺察之；節制人欲，克己工夫。
一念天理，即擴充之；弘揚天理，復禮工夫。
爲道日損，以損人欲；損盡人欲，人欲淨盡。
爲德日益，以益天理；益存天理，天理長存。

去人欲者，抑制欲念；欲敗於理，人欲自去。
存天理者，發揚理性；理勝於欲，天理自存。
天理之事，天理可循；天理路上，絕不退卻。
人欲之事，人欲可斷；人欲路上，切不沾染。
寓天理者，存眞心也；眞心隨妄，即是俗子。
摒人欲者，除妄心也；妄心歸眞，即是賢者。
聖哲所爲，天理之爲；賢者所事，公義之事。
凡夫所爲，人欲之爲；俗子所事，私利之事。

德惟善者，天理相契；天理昭彰，滿街聖賢。
罪惟惡者，人欲相應；人欲流行，滿街禽獸。
修養心性，既篤且實；不迷外誘，不流人欲。
窮究事物，既透且明；不蔽外惑，不失天理。
外觀天心，天理之心；心存公道，天理昭彰。
內觀人心，人欲之心；心去私情，人欲淨盡。
心存天理，君子之心；爲聖爲賢，流芳百世。
心縱人欲，小人之心；爲盜爲賊，遺臭萬年。

## 禮義與廉恥

禮不踰節，知所當守；義不自進，知所當爲。
廉不蔽惡，知所勿取；恥不從枉，知所勿爲。
齊之以禮，規規矩矩；導之以義，正正當當。
砥之以廉，清清白白；勵之以恥，切切實實。
禮義二字，治人大法；明禮尚義，何恤人言。
廉恥二字，立人大節；清廉知恥，何憂人云。
明禮知義，禮義爲本；不知禮義，無以立身。
明廉知恥，廉恥爲宗；不知廉恥，無以處世。

## 禮廉與義恥

君心正者，孰敢不正；君尚禮廉，誰敢違之。
君行端者，孰敢不端；君尚義恥，誰敢悖之。

互敬以禮，以禮相敬；互砥以廉，以廉相砥。
互勉以義，以義相勉；互勵以恥，以恥相勵。

明禮明廉，非禮不取；苟悖於廉，切不可取。
知義知恥，非義不爲；苟悖於恥，切不可爲。

君若尚禮，人莫不禮；君若尚廉，人莫不廉。
君若尚義，人莫不義；君若尚恥，人莫不恥。

## 知足與知止

飲食有節，自不傷體；知足常樂，菜根亦香。
起居有時，自不傷神；知止常安，茅屋亦穩。
知足於心，終身不辱；心若知足，逍遙佛祖。
知止於行，畢生不恥；行若知止，快樂神仙。
人能知足，心思自泰；心無欲求，自然而剛。
人能知止，行誼自高；行無忮求，自然而正。
人知自足，自至於道；不知足者，悖入悖出。
人知自止，自返於樸；不知止者，悖來悖去。

人能知禮，守心如玉；知足無貪，以全天眞。
人能知義，守身如平；知止無爭，以全天和。
知己者明，知足者富；知足之道，天地同久。
知人者智，知止者貴；知止之理，天地同常。
凡知足者，樂天安命；知足常足，禍不臨命。
凡知止者，清閒安身；知止常止，辱不臨身。
無煩惱障，無見思惑；心平氣和，知足不辱。
無所知障，無塵沙惑；心安理得，知止不殆。

隨時知足，知足知藏；心不知足，易受恥辱。

隨處知止，知止知退；行不知止，易遭危殆。

知圓守缺，缺能勝圓；知足於殘，抱殘常樂。

知全守半，半能勝全；知止於闕，抱闕常安。

## 良心與良知

本乎良心，爲之則善；合乎仁道，天報以福。

悖乎良知，爲之則惡；背乎義理，天報以禍。

天地之道，即是中道；中道天道，天道良心。

天地之理，即是正理；正理天理，天理良知。

憑我眞誠，安吾情性；依我良心，盡吾本分。
憑我榮譽，彰吾智慧；依我良知，盡吾本務。

自尊自重，彰顯良心；良心清淨，內欲不萌。
自立自強，展現良知；良知清明，外物不侵。

不昧良心，不斷良性；良心良性，方寸不亂。
不蔽良知，不梏良能；良知良能，分寸不爽。

天有正道，人有眞心；不逆天道，不悖良心。
天有正理，人有眞知；不違天理，不背良知。

# 我執與法執

無明執身，不明我空；內執人身，故爲我執。
無明執物，不明法空；外執事物，故爲法執。
見分能識，生起我執；破除我執，無煩惱障。
相分所識，生起法執；破除法執，無所知障。
我空般若，自他兩忘；自他一體，則無我執。
法空般若，物吾雙泯；物吾一如，則無法執。
不即不離，內不執身；喪了我執，即顯眞我。
不著不捨，外不執物；棄了法執，即現眞法。

了明於事，事須漸修；滅煩惱障，自無我執。
了覺於理，理可頓悟；滅所知障，自無法執。
了悟我相，即離我執；無情意障，我空眞如。
了證法相，即捨法執；無理性障，法空眞如。
心有我執，煩惱障生；破見思惑，斷煩惱障。
心有法執，所知障起；破塵沙惑，斷所知障。
身有我纏，似籠中鳥；斷盡我執，自由自在。
心有法纏，似甕中鼈；斷盡法執，自若自如。

## 富貴與貧賤（名利）

富貴所欲，非義不取；人處富貴，不可得意。

貧賤所惡，非道不去；人處貧賤，不可失志。

遇稱心事，不可歡喜；臨富貴時，亦不昂揚。

遇拂心事，不必厭煩；臨貧賤時，亦不哀憐。

達觀之人，貧賤亦樂；貧而儉者，成功之源。

悲觀之人，富貴亦憂；富而奢者，失敗之因。

素貧賤時，行乎貧賤；吾貧無諂，亦無怨也。

素富貴時，行乎富貴；吾富無驕，亦無慢也。

富貴而奢，奢則不足；富而享福，享福消福。
貧賤而儉，儉則有餘；儉而惜福，惜福積福。
人雖貧賤，貧而不卑；居貧賤時，保全節操。
人雖富貴，富而不矜；居富貴時，遠離紅塵。
吾若富貴，切不可傲；人若富貴，亦不可羨。
吾若貧賤，斷不可屈；人若貧賤，亦不可欺。
富而無驕，富而有禮；富貴福澤，厚我之生。
貧而無怨，貧而有志；貧賤禍患，助我之成。

居軒冕中，山林氣味；山林貧賤，坦然涉世。

處田園下，廊廟經綸；廊廟富貴，虛懷養己。

生之與死，不惑於性；富之與貴，不淫於心。

喜之與怒，不入於情；貧之與賤，不移於志。

人如行善，雖處貧賤；人仰其德，人服其德。

人如行惡，雖居富貴；人知其過，人議其過。

物之貴者，瑑瑑如玉；已若富貴，不矜於貴。

物之賤者，珞珞如石；已若貧賤，不惡於賤。

邦有道時，貧宜賤焉；不知進取，固是可恥。
邦無道時，富且貴焉；不知退隱，亦是可恥。
人逢富貴，富貴榮耀；臨歿貪戀，如負重擔。
人遇貧賤，貧賤淡泊；臨終撇脫，如釋重枷。

## 富貧與貴賤

勿以家富，而驕傲人；富而無禮，易復貧窮。
勿以身貴，而輕慢人；貴而無禮，易變賤卑。
一富一貧，乃知交態；無富不貧，亦自足也。
一貴一賤，乃見交情；無貴不賤，亦毋悲也。

貧不足羞，羞於無才；人能安貧，處貧如富。
賤不足恥，恥於無志；人能安賤，處賤如貴。
財厚體弱，富不如貧；富者多慮，貧則無憂。
位高身危，貴不如賤；貴者多險，賤則無懼。
富有天下，非義弗顧；非義理者，則不取也。
貴爲天子，非道弗視；非道德者，則不處也。
粒米必珍，富之源也；片言必謹，福之基也。
隻字必惜，貴之根也；微命必護，壽之本也。

## 富貴與名利

處名利關，名利雙淡；競名逐利，怨之府也。

臨富貴關，富貴雙忘；貪富圖貴，謗之媒也。

淡於名利，妄心不生；名利心生，則煩惱來。

輕於富貴，邪念不起；富貴念起，則困擾至。

心牽名利，役於名利；名利不爭，威勢不屈。

心繫富貴，役於富貴；富貴不淫，貧賤不移。

處名利場，不可久居；澹於名利，平淡無奇。

臨富貴位，不可久住；輕於富貴，平實無華。

淡名利者，名利不競；有得有失，得失不計。
輕富貴者，富貴不爭；有榮有辱，榮辱不驚。
榮華名利，隨身而消；人生精神，萬古常新。
功勳富貴，轉世而逝；人生氣節，千載常流。
一念名利，役於名利；淡名淡利，不爲權誘。
一念富貴，役於富貴；輕富輕貴，不爲勢劫。

**是非與善惡**

忘善忘惡，無愛憎心；忘貴忘賤，無虛榮心。
忘是忘非，無偏執心；忘成忘敗，無得失心。

善而善焉，惡而惡焉；分別正邪，揚善去惡。
是而是焉，非而非焉；明辨眞僞，彰是去非。

眞知惡者，捨惡從善；惡若不去，怎能遷善。
眞知非者，捨非從是；非若不去，怎能著是。

勿執於善，勿執於惡；知善知惡，善惡皆泯。
勿執於是，勿執於非；明是明非，是非俱忘。

善惡之心，義利之心；善惡義利，義以養之。
是非之心，直曲之心；是非直曲，直以養之。

論善惡者，不計譽毀；論正邪者，不計榮辱。
論是非者，不計得失；論眞僞者，不計利害。

## 自反與自省

自省自律，自不逾分；自省有罪，悔悟懺悔。
自反自制，自不違法；自反有過，告解禱告。
何以息謗，曰無辯也；與人無辯，自反息謗。
何以止怨，曰不爭也；與人不爭，自省止怨。
自尊自重，自我省思；自求多福，自得其樂。
自立自強，自我反觀；自求多作，自食其力。

自尊自重，榮譽心強；自省自怡，修己善群。
自立自強，責任感重；自反自克，敬業樂群。
自省自勉，自新之基；自省不直，吾則惴焉。
自反自勵，自強之始；自反而縮，吾則往矣。
自尊自省，聖賢自期；聖人妄念，即爲狂人。
自立自反，狂狷自任；狂人克念，即爲聖人。
自省己罪，自易己惡；修如實心，則不遷怒。
自反己錯，自改己非；持如理智，則不貳過。

## 相有與性空

法相有門，假相非有；非有似有，非妄計有。
法性空門，本性非空；非空似空，非偏執空。
分析法相，自相不有；有是道用，遍常妙有。
證悟法性，自性不空；空是道體，畢竟眞空。
相有妙有，即空之有；非有妄有，離空之有。
性空眞空，即有之空；非空頑空，離有之空。
相者用也，形下器用；相言妙有，自心之識。
性者體也，形上道體；性言眞空，自心之本。

有非實有，因空故有；假相不有，有不彈空。
空非虛空，因有故空；本性不空，空不斥有。

外迷著有，於有捨有；外離諸相，不亂爲定。
內迷著空，於空捨空；內見自性，不動爲禪。

從總體觀，性上觀照；性空妙空，中道之空。
從個別觀，相上觀照；相有妙有，中道之有。

現象相有，諸法假相；假諦認識，假而不實。
本體性空，諸法眞性；眞諦認識，眞而不妄。

妙有之空，內在法性；關閉吾心，隔絕侵擾。
眞空之有，外在法相；啓發吾心，超脫困擾。
眞諦空門，說自性空；眞諦示空，以破執空。
俗諦有門，說假相有；俗諦示有，以破執有。
萬法假相，有而不有；雖有非有，即非實有。
萬法眞性，空而不空；雖空非空，即非實空。
大乘空門，法性學派；中觀三論，天臺禪宗。
大乘有門，法相學派；瑜伽唯識，華嚴淨土。

# 智慧與慈悲

上求菩提，增長智慧；慧以覺己，理性知解。
下化眾生，滋長慈悲；悲以度人，情意行持。
菩薩智慧，無執著念；念念證覺，超脫世間。
菩薩慈悲，無分別心；念念同塵，普度眾生。
本智慧觀，大慧覺己；因智慧故，不厭生死。
依慈悲觀，大悲利人；因慈悲故，不住涅槃。
佛學之慧，智慧求眞；即悲之慧，慧以明道。
佛法之悲，慈悲求善；即慧之悲，悲以行道。

發菩提心，大智大慧；三學同修，上求佛道。

持菩薩行，大慈大悲；三根同被，下化有情。

理性處事，智慧爲之；用理公正，則無困擾。

情義待人，慈悲爲之；用情和諧，則無煩惱。

修大智慧，圓通無礙；以大智慧，覺化世間。

修大慈悲，圓融無滯；以大慈悲，度化人間。

善用智慧，觀照自己；智慧治己，放下自在。

善用慈悲，關懷他人；慈悲待人，提起自在。

色即是空，出離世俗；智慧圓融，出世精神。
空即是色，入歸世俗；慈悲圓融，入世事業。
千眼觀音，表大智慧；普照世間，智慧無窮。
千手觀音，表大慈悲；普度衆生，慈悲無盡。
色不異空，色即是空；見色即空，成大智慧。
空不異色，空即是色；見空即色，成大慈悲。
文殊大士，主慧法門；大慧文殊，智慧圓融。
觀音大士，主悲法門；大悲觀音，慈悲救世。

上求菩提，重在覺己；智慧門入，度己利己。
下化衆生，重在覺人；慈悲門入，度人利人。

智慧理性，智慧法門；要以理性，指導感性。
慈悲感性，慈悲法門；要以感性，融和理性。

## 人心與道心

自性眞心，眞常之心；眞心則淨，即是道心。
自性妄心，妄常之心；妄心則染，即是人心。

常伏人心，人心惟危；人心常伏，道心不退。
常住道心，道心惟微；道心常住，人心不生。

道無極限，無始無終；道心惟微，微而明之。
人有極限，有生有死；人心惟危，危而安之。
無住生心，即生道心；心向內守，逆欲順理。
有住生心，即生人心；心向外馳，遂欲逐物。
程顥上達，上契道心；道心微妙，頓悟成德。
程頤下達，下化人心；人心危殆，漸修成德。
七情未發，即爲道心；道心隱微，微則當觀。
六欲已動，即爲人心；人心殆危，危則當治。

## 參禪與念佛

參禪法門，善參本性；自力修行，參悟見性。
念佛法門，善念本心；他力加持，念定明心。
參禪之法，參而無法；行證參禪，性參禪也。
念佛之法，念而有法；持戒念佛，心念佛也。
參禪在性，善參自性；參而無相，而無一相。
念佛在心，善念自心；念而有相，而有一相。
念佛三昧，定於一心；持信願行，滅惑業苦。
參禪三昧，返乎初性；修戒定慧，滅貪瞋癡。

禪門參禪，參而無參；善惡不思，無想可著。
佛門念佛，念而無念；是非不萌，無象可執。
念佛修心，豈止誦經；念佛明心，善明自心。
參禪修性，何止盤腿；參禪見性，善見自性。
無心無欲，何須解脫；無心自化，何用念佛。
無爲無物，何須解惑；無爲自正，何用參禪。
自力內養，參禪爲主；參禪參性，性自不染。
他力外修，念佛爲助；念佛念心，心自不亂。

## 無為與有為（無心）

君者無爲，無爲而賢；賢者在位，不矜己賢。
臣者有爲，有爲而能；能者在職，不伐己能。
上仁無爲，無以爲之；無爲順道，無所不爲。
上義有爲，有以爲之；有爲順理，有所不爲。
入世因緣，因生果生；緣生有相，有相有爲。
出世因緣，因滅果滅；緣滅無相，無相無爲。
根機銳者，頓然而悟；頓悟無爲，而兼有爲。
根機鈍者，漸進而修；漸修有爲，而入無爲。

心包虛空，量等虛空；虛空實相，實相無爲。
境徧法界，行滿法界；法界緣起，緣起有爲。
無漏智者，無爲法也；無漏之業，無限生命。
有漏智者，有爲法也；有漏之業，有限生命。
君上無爲，臣下無爲，上下同德，則不臣也。
臣下有爲，君上有爲，下上同道，則不君也。
君者無爲，無爲而尊；君道無爲，而用天下。
臣者有爲，有爲而累；臣道有爲，而治天下。

明心見性，將以無爲；無爲之德，常樂我淨。
正心誠意，將以有爲；有爲之道，修齊治平。
君者高明，無爲而逸；無爲而爲，爲而不恃。
臣者精明，有爲而勞；有爲而爲，爲而不爭。
無爲法中，實相不變；因不變故，即眞如心。
有爲法中，假相隨緣；因隨緣故，即生滅心。
聖者盡性，以盡本性；盡性參化，天道無爲。
賢者致曲，以致偏曲；致曲教化，人道有爲。

# 無為與無心

天道無心，無心妙心；即一切心，離一切心。
天理無爲，無爲妙爲；即一切爲，離一切爲。
人能清淨，自然無心；無心了欲，内緣不生。
人能清靜，自然無爲；無爲了物，外緣不入。
不盡有心，不住無心；有心無心，圓融一切。
不盡有爲，不住無爲；有爲無爲，圓通一切。
無心於人，不忤於人；樂天知命，隨緣而安。
無爲於事，不逆於事；明理知義，素位而行。

無欲精聚，精聚精全；無心神澄，神澄神全。

無事形舒，形舒形全；無爲氣沛，氣沛氣全。

適有心時，適無心焉；無心而心，心而無心。

適有爲時，適無爲焉；無爲而爲，爲而無爲。

始於有念，終於無心；歸眞復元，歸根復命。

始於有作，終於無爲；返本還原，返樸還淳。

清淨修心，內欲不生；清淨無心，無心無欲。

清明修爲，外物不入；清明無爲，無爲無物。

# 清淨與清明

心性本淨，客塵所染；拂拭客塵，清淨自覺。
智慧本明，妄想所蔽；泯滅妄想，清明自悟。
藏心於心，而不見心；無心無住，即清淨心。
藏爲於爲，而不見爲；無爲無執，即清明爲。
修清淨性，泯貪瞋癡；清淨無妄，返妄歸眞。
修清明智，滅惑業苦；清明無邪，破邪顯正。
修實性體，放下六根；六根清淨，六欲不生。
持眞智慧，放下六識；六識清明，六塵不染。

利欲熾盛，即是火坑；一念清淨，烈焰成池。

貪愛沉溺，便是苦海；一念清明，航登覺岸。

修清淨心，欲念不起；清淨自心，無妄想心。

持清明爲，物塵不緣；清明自爲，無妄作爲。

本乎理性，自尊自律；眞性清淨，莫侵害人。

依乎理智，自敬自制；眞智清明，莫侵犯事。

心性清淨，一切自淨；自心清淨，五蘊皆空。

智慧清明，一切自明；自智清明，六塵非有。

# 君子與小人

君子事上，忠而敬之；君子接下，謙而和之。
小人事上，諂而媚之；小人待下，傲而慢之。
德勝才者，德高才低；有德無才，不失君子。
才勝德者，才高德低；有才無德，終歸小人。
君子難親，但易疏也；親之不喜，疏之不怨。
小人易親，但難疏也；親之則喜，疏之則怨。
與君子居，芝蘭之香；近朱者赤，日漸於善。
與小人居，鮑魚之臭；近墨者黑，日漸於惡。

立身處世，謙讓儉樸；寧可吃虧，君子氣象。
持身接物，傲慢奢靡；好佔便宜，小人心態。

君子寡言，言簡而實；實言敦厚，厚而重之。
小人多言，言雜而虛；虛言刻薄，薄而輕之。

君子以厚，所以懷德；小人以薄，所以懷土。
小人以欲，所以懷惠；君子以理，所以懷刑。

君子之交，淡之如水；先淡而親，則寡尤也。
小人之交，甘之如飴；先甘而絕，則多怨也。

君子心思，泰而不驕；小人心思，驕而不泰。
小人心意，同而不和；君子心意，和而不同。
待君子易，待小人難；待人以誠，誠可感人。
化小人難，化君子易；化人以敬，敬可服人。
君子作事，順理而爲；順理順勢，事半功倍。
小人作事，逆理而爲；逆理逆勢，事倍功半。
君子之爭，理直者勝；循理直行，君子所爲。
小人之爭，力強者勝；恃力強行，小人所爲。

君子心善，恭敬自謙；謙而受益，日益於道。
小人心惡，傲慢自滿；滿而招損，日損於德。
對待善士，允宜從寬；禮以正之，以正君子。
對待惡徒，允宜從嚴；刑以制之，以制小人。
形相雖惡，心術則善；形惡心善，陽剛君子。
形相雖善，心術則惡；形善心惡，陰柔小人。
君子存心，欲衆同善；善事可作，善必壽考。
小人存心，欲衆同惡；惡事莫爲，惡必殀折。

君子恃才，用於行善；才以爲善，善無不至。
小人挾才，用於行惡；才以爲惡，惡無不至。
心若欲善，善則至矣；爲善爲是，斯是君子。
心若欲惡，惡則至矣；爲惡爲非，斯是小人。
君子之心，期於上達；君子上達，胸懷闊達。
小人之心，安於下流；小人下流，隨波逐流。
君子安仁，而不違仁；君子重內，而輕外也。
小人違仁，而不安仁；小人重外，而輕內也。

君子喻義，孳孳爲義；思及義理，窮則斯固。
小人喻利，汲汲爲利；感於利欲，窮則斯濫。

以德爲治，以正君子；正不以禮，君子不讓。
以法爲治，以制小人；制不以刑，小人不懼。

君子行事，富貴不淫；貧賤不移，威武不屈。
小人行事，富貴即淫；貧賤即移，威武即屈。

僞君子者，暗箭難防；口蜜腹劍，故宜遠避。
眞小人者，明槍易擋；笑裡藏刀，故宜愼制。

## 小乘與大乘

度小根人，用小乘法；小乘法門，佛法基礎。
度大根人，用大乘法；大乘法門，佛法高峰。
小乘說空，空去四大；空去我執，未空法執。
大乘論空，空去五蘊；空去我執，又空法執。
小乘聖者，修聲聞道；證入涅槃，安住涅槃。
大乘聖者，修菩薩道；證入涅槃，不住涅槃。
小根志弱，心量狹小；小乘種性，證羅漢果。
大根志強，心量廣大，大乘種性，證菩薩果。

小乘小智，慧如螢光；了悟道理，淡化階段。
大乘大智，慧如日光；了覺道理，深化階段。
小乘小機，聲聞敎觀；超出三界，厭離世間。
大乘大機，菩薩敎觀；超出三界，救護世間。
小乘修證，證羅漢果；不落因果，超凡入聖。
大乘修證，證菩薩果；不昧因果，超聖入凡。
小乘修觀，觀無常行；無常無我，苦空不淨。
大乘修觀，觀眞常行；眞常眞我，樂淨不空。

小乘法行，路短時暫；修法詮法，倡言六識。
大乘法行，路長時遙；修法詮法，倡言八識。
心有邪念，外無犯戒；小乘戒律，謂未破戒。
心有邪念，外無犯戒；大乘戒律，謂已破戒。
小乘行者，作我空觀；斷煩惱障，即入涅槃。
大乘行者，兼法空觀；斷所知障，即證菩提。
小乘教相，修聲聞藏；發小弘願，證清涼果。
大乘教相，修菩薩藏；發大弘願，證正覺果。

小乘念佛，往生中品；中善中生，中品淨土。
大乘念佛，往生上品；上善上生，上品淨土。
小乘教觀，我空法有；否定自我，不捨萬法。
大乘教觀，我空法無；否定自我，又捨萬法。
小乘發心，上求佛道；下化眾生，僅止一生。
大乘發心，上求佛道；下化眾生，終及群生。
小乘經典，名聲聞藏；經典教理，言三法印。
大乘經典，名菩薩藏；經典教理，言一法印。

大乘三寶，三身佛寶；六度法寶，十聖僧寶。
小乘三寶，應身佛寶；四諦法寶，四果僧寶。
小乘布施，持戒精進；自身清淨，自身證果。
大乘布施，持戒精進；自他清淨，自他證果。
小乘言佛，崇敬一佛；世尊之身，法身常存。
大乘言佛，崇敬多佛；覺者之身，法身常在。
小乘知空，而不住有；聲聞出世，所以獨善。
大乘證空，而不住無；菩薩入世，所以兼善。

小乘教理，悲小智小；願小行小，小我精神。
大乘教理，悲大智大；願大行大，大我精神。
小乘修行，行持嚴謹；取原始義，偏重形式。
大乘修行，行持圓融；取究竟義，注重精神。
小乘苦觀，消極修道；成聲聞道，離世解脱。
大乘苦觀，積極修道；成菩薩道，即世解脱。
小乘南傳，流佈錫蘭；緬甸暹羅，越南高寮。
大乘北傳，流佈中華；西藏蒙古，朝鮮日本。

小乘悟道，破四顛倒；未見佛性，證小涅槃。
大乘悟道，破八顛倒；已見佛性，證大涅槃。
小乘根基，見解平庸；同於流俗，利己法門。
大乘根基，見解超脱；異於流俗，利人法門。
小乘苦行，覺己圓滿；獨度自己，求己解脱。
大乘苦行，覺人圓滿；兼度他人，助人解脱。
小乘行人，隱遁自己；既厭生死，又欣涅槃。
大乘行人，普度衆人；未厭生死，不欣涅槃。

小乘自覺，自發覺心；度脫一己，自登覺岸。
大乘共覺，共發覺心；度脫衆人，共登覺岸。
小乘行修，利己之爲；出而不入，超凡入聖。
大乘行修，利人之爲；出而又入，超聖入凡。
小乘獨善，獨以利己；離三界外，超脫世間。
大乘兼善，兼以濟人；即三界內，普度世間。
小乘羅漢，獨善於己；持清淨戒，而不破戒。
大乘菩薩，兼善於人；持清淨戒，而能護戒。

小乘修持，了知四諦；拔己之苦，予己之樂。
大乘修持，兼行六度；拔人之苦，予人之樂。
小乘小覺，覺己度己；悲願心小，自我解脫。
大乘大覺，覺人度人；悲願心大，自他解脫。
小乘利己，先利自己；積極利己，消極利人。
大乘利人，兼利他人；積極利人，消極利己。
小乘小志，志在度己；從度己中，不忘度人。
大乘大志，志在度人；從度人中，完成度己。

## 佛家與道家

佛家修心，清淨無心；有心皆苦，無心即樂。
道家修爲，清靜無爲；有爲皆勞，無爲即逸。
佛言性空，性空緣起；性空是體，緣起是用。
道言自然，自然無爲；自然是體，無爲是用。
佛主修心，明心見性；了性成佛，涅槃極樂。
道主修身，健身養命；了命得道，羽化眞界。
佛家修行，轉識成智；智者坐禪，離相不亂。
道家修爲，入聖登眞；眞人坐忘，離形去知。

修佛法僧，持戒定慧；佛家修持，直探眞如。
修道經師，煉精氣神；道家修煉，直透眞命。
佛法無邊，非止一宗；窮盡諸法，不執一法。
道門無訣，非止一派；透盡諸門，不滯一門。
佛言觀心，心無二心；人心不同，各如其面。
道云齊物，物本一物；事物不同，各似其象。
佛家修禪，不即不離；隨緣不變，而無所住。
道家修眞，不將不迎；應物不藏，而無所傷。

佛我一如，佛我同根；心中有佛，即心是佛。

道我一體，道我同源；心中有道，即心是道。

佛主清淨，返乎本然；本然無心，即近乎佛。

道主清靜，返乎自然；自然無爲，即近乎道。

道家之無，清靜虛無；智慧體悟，蘊發生有。

佛家之空，清淨虛空；智慧觀照，隨緣生有。

佛家修性，了性爲宗；參透心性，即顯眞性。

道家修命，了命爲本；煉淨身命，即現眞命。

# 儒家與佛家

儒家孔子，大仁大智；仁則無憂，智則不惑。
佛家世尊，大慈大悲；慈以予樂，悲以拔苦。
儒家修養，正襟危坐；端坐修身，正心正德。
佛家修持，正定趺坐；靜坐修禪，正慧正覺。
儒家修身，入世用世；身雖入世，不忘出世。
佛家修心，出世捨世；心雖出世，不忘入世。
儒家三綱，三綱五常；四維八德，止於至善。
佛家三覺，三覺五戒；四攝六度；達於圓滿。

儒家經世，立己達人；獨善自身，兼善天下。
佛家化世，覺己度人；出世精神，入世事業。
儒家聖賢，大仁大智；有教無類，仁民愛物。
佛家菩薩，大悲大智；有救無類，悲衆慈生。
儒家七情，誠而中也；七情順化，以之養生。
佛家八識，定而慧也；八識渾忘，以之養德。
儒家弘道，因材傳道；因材施教，因勢利導。
佛家弘法，對根傳法；對根起行，對機宣化。

濟世安民，無如儒道；儒家治國，用之則行。
窮理盡性，莫尚佛道；佛家治心，捨之則樂。
儒家修養，可爲堯舜；不爲聖賢，即是凡俗。
佛家修持，可爲世尊；不爲菩薩，便是衆生。
儒家孔孟，仁義之爲；道家老莊，自然之爲。
佛家世尊，覺照之爲；法家韓非，規律之爲。
儒家修爲，正心盡性；儒之貫一，忠恕精神。
佛家修行，明心見性；佛之歸一，慈悲精神。

佛家修行，四攝六度；菩薩修持，慈悲喜捨。
儒家修心，三綱五常；聖賢修養，仁義禮智。
佛家修性，離事起修；禪定持戒，因儒而廣。
儒家修心，即事起修；內省愼獨，因佛而深。
佛曰歡喜，喜而無瞋；佛氏戒瞋，學釋之門。
儒曰中和，和而不怒；儒氏禁怒，學聖之門。
佛得儒理，相輔相佐；互不相非，而益通達。
儒得佛法，相資相助；互不相病，而益明顯。

# 道家與儒家

孔子知命，孟子立命；儒家聖人，積極用世。
老子復命，莊子安命；道家眞人，消極超世。
儒家之學，祖述堯舜；儒之修養，聖賢境界。
道家之學，祖述黃老；道之修煉，眞常境界。
儒家養性，養先天性；不知孔孟，怎能入世。
道家煉性，煉後天性；不諳老莊，安能忘世。
儒家修心，規範之爲；孔孟之學，萬古常新。
道家修身，自然之爲；老莊之學，萬劫常流。

儒家孔孟，積極經世；儒家之學，道德人生。

道家老莊，消極超世；道家之學，藝術人生。

儒曰天理，仁義禮智；儒家教主，至聖孔子。

道曰自然，清靜無爲；道家教主，太上老君。

道家之爲，無爲而治；知不可爲，而弗爲之。

儒家之爲，有爲而治；知不可爲，而仍爲之。

道家之學，明體無爲；無爲超世，由自然行。

儒家之學，達用有爲；有爲經世，由仁義行。

# 做人與做事

做一個人，像一個人；以身作則，正身正人。
做一件事，像一件事；以名核實，正名正事。
做一個人，像一個人；善玉成人，人人歡喜。
做一件事，像一件事；善玉成事，事事愜意。
做一個人，像一個人；應乎人情，人和事通。
做一件事，像一件事；順乎事理，事通人和。
做一個人，像一個人；知人善任，人盡其才。
做一件事，像一件事；知事善爲，事竟其功。

做一個人，像一個人；做人遜美，成人之美。
做一件事，像一件事；做事匿善，成事之善。
做一個人，像一個人；不拂人意，人人如意。
做一件事，像一件事；不逆事理，事事合理。
做一個人，像一個人；中道自居，以恕待人。
做一件事，像一件事；正理自持，以忠治事。
做一個人，像一個人；先機致人，不致於人。
做一件事，像一件事；先發制事，不制於事。

做一個人，像一個人；人生坎坷，難行能行。
做一件事，像一件事；事業縹緲，難爲能爲。
做一個人，像一個人；致人無聲，屈人無形。
做一件事，像一件事；料事未朕，理事未形。
做一個人，像一個人；大度能容，容得小人。
做一件事，像一件事；大量能忍，忍得逆事。
做一個人，像一個人；人人圓熟，則人人福。
做一件事，像一件事；事事圓明，則事事成。

做一個人，像一個人；人帥正氣，心平氣和。

做一件事，像一件事；事寓眞理，心安理得。

做一個人，像一個人；樂觀進取，創造人生。

做一件事，像一件事；達觀奮鬥，創立事業。

做一個人，像一個人；明德齊禮，以禮正人。

做一件事，像一件事；明理齊法，以法制事。

做一個人，像一個人；做人難圓，唯求心安。

做一件事，像一件事；做事難全，但求理得。

做一個人，像一個人；自性內照，人欲不縱。
做一件事，像一件事；自智外照，事物不惑。

做一個人，像一個人；人倫圓滿，人道圓融。
做一件事，像一件事；事物圓明，事理圓全。

做一個人，像一個人；觀心自在，觀人自在。
做一件事，像一件事；觀行自在，觀事自在。

做一個人，像一個人；做人像人，要做好人。
做一件事，像一件事；做事像事，要做好事。

做一個人，像一個人；我扮什麼，即像什麼。
做一件事，像一件事；我演什麼，即像什麼。

做一個人，像一個人；身心平衡，智德兼修。
做一件事，像一件事；手腦並用，文武合一。

做一個人，像一個人；自由守分，嚴守分際。
做一件事，像一件事；民主守法，遵守法紀。

做一個人，像一個人；六根清淨，六欲不生。
做一件事，像一件事；六識清明，六塵不染。

做一個人，像一個人；用心若鏡，不將不迎。
做一件事，像一件事；用心如秤，不偏不倚。
做一個人，像一個人；淡泊明志，寧靜致遠。
做一件事，像一件事；綜名核實，信賞必罰。
做一個人，像一個人；自淨己意，完美無瑕。
做一件事，像一件事；自改己過，完善無疵。
做一個人，像一個人；心有不悅，反求諸身。
做一件事，像一件事；行有不得，反求諸己。

做一個人，像一個人；柔而能剛，剛柔相濟。
做一件事，像一件事；弱而能強，強弱互用。
做一個人，像一個人；隨心所欲，而不逾規。
做一件事，像一件事；隨意所為，而不踰矩。
做一個人，像一個人；自悟自適，逍遙自在。
做一件事，像一件事；自證自得，優遊自如。
做一個人，像一個人；修心修身，以臻至美。
做一件事，像一件事；修行修為，以達至善。

# 聯語二

自己命運，自己掌握；自我啓發，自我實現。
自己前途，自己開拓；自我創造，自我完成。
持家之道，曰勤曰儉；安家之道，曰忍曰讓。
齊家之道，曰理曰情；傳家之道，曰讀曰耕。
起居定時，飲食定節；養心宜靜，修身宜動。
言行圓融，事理圓全；自足常樂，知止常安。
基之以愛，待之以誠；導之以勤，體之以恕。
動之以情，喻之以理；臨之以威，繩之以法。

人非淡泊，無以明志；人非寧靜，無以致遠。
人非勤問，無以廣知；人非好學，無以致疑。
孝弟忠信，人之四維；四維既弘，人乃健全。
禮義廉恥，國之四維；四維既張，國乃復興。
家有家規，人人守規；家有鞭扑，切不可弛。
國有國法，人人守法；國有刑罰，切不可廢。
言而有序，言而有理；言近旨遠，言行兼顧。
言而有物，言而有當；言簡意賅，言行一致。

父母生我，孝順父母；父母養我，遵循父母。
老師愛我，尊敬老師；老師教我，感謝老師。

精神愈用，而愈旺盛；精神不用，易患昏昧。
血脈愈運，而愈舒暢；血脈不運，易染疾病。

一粥一飯，妥爲珍惜；一菜一果，不忍暴殄。
一花一木，善爲愛護；一絲一縷，不容糟蹋。

昨日以前，爾祖爾宗；祖宗福澤，今日享是。
今日以後，爾子爾孫；子孫福祉，今日貽是。

立身持忍，待人持恕；治事持忠，用世持惠。
修身戒怒，爲人戒怨；做事戒怠，處世戒恣。
一年之計，貴在新春；一日之計，貴在清晨。
一家之計，貴在和睦；一生之計，貴在勤儉。
血氣之怒，絕不可有；義氣之怒，亦不可無。
害人之心，萬不可有；防人之心，亦不可無。
孩子有成，親有榮焉；孩子有錯，親應教誨。
學子有成，師有榮焉；學子有錯，師應規過。

良藥苦口，智者飲之；藥雖苦口，有利於病。
忠言逆耳，智者聽之；言雖逆耳，有益於行。
好男不怕，出身卑賤；好漢不計，眼前吃虧。
好男不喫，嗟來食物；好漢不用，黨到貨財。
頂天立地，獨創一格；獨來獨往，不忤不伍。
經天緯地，特樹一幟；特立特行，不亢不卑。
娑婆世界，心感之穢；娑婆穢土，厭而惡之。
極樂世界，心感之淨；極樂淨土，欣而慕之。

任勞任怨，無爭無怨；任怨止怨，受怨不報。

任咎任謗，無辯無謗；任謗弭謗，聞謗不較。

知法守法，而不玩法；法行行之，則人從法。

崇法執法，而不違法；法敗敗之，則法從人。

井中之蛙，不與語天；拘之於空，空間所制。

夏季之蟲，不與語冰；篤之於時，時間所限。

松聲竹聲，及鍾磬聲；聲聲入耳，聲聲自在。

山色水色，及煙霞色；色色入目，色色皆空。

既以爲人，則己愈有；凡爲人者，無損於己。
既以與人，則己愈多；凡與人者，亦益於己。
得饒恕時，且饒恕之；得放手處，且放手之。
得容忍時，且容忍之；得方便處，且方便之。
有恆心者，事難亦成；事廢於難，十之一也。
無恆心者，事易亦敗；事廢於易，十之九也。
人能自尊，天不能侮；人能自強，天不能弱。
人能自立，天不能傾；人能自達，天不能窮。

人一能之，己百能之；雖是愚者，則必自明。
人十能之，己千能之；雖是柔者，則必自強。
將欲敗之，必姑輔之；將欲取之，必姑與之。
將欲弱之，必固強之；將欲廢之，必固興之。
先之施之，隨心布施；少取多予，無相布施。
先之勞之，隨力效勞；少說多做，無相效勞。
齒以堅毀，至人貴柔；刃以銳摧，至人貴渾。
龍以難見，至人貴潛；海以難量，至人貴深。

苦行僧者，以苦爲樂；辛苦耐苦，苦而有福。
勞碌命者，以勞爲安；辛勞耐勞，勞而有功。
舉直錯枉，則人自服；見直而進，進而先之。
舉枉錯直，則人不服；見枉而退，退而遠之。
傲不可長，傲者必敗；志不可滿，志滿招損。
貪不可長，貪者必失；欲不可縱，欲縱成災。
夫之良者，善盡夫職；夫良敬婦，安危與共。
婦之賢者，善盡婦職；婦賢敬夫，甘苦同嘗。

不孝父母，拜神無用；不睦兄弟，交友無益。
不明心性，學道無用；不端行爲，修法無益。
人向上看，奮志向上；向高處想，登高自卑。
人向前看，奮勇向前；向遠處想，行遠自邇。
禮云禮云，豈止玉帛；禮貴乎敬，治國安民。
樂云樂云，豈祇鐘鼓；樂貴乎和，移風易俗。
施人要豐，自奉要約；寧使人愛，勿令人憎。
待人要寬，自責要嚴，寧使人喜，勿令人憂。

譬如爲山，未成一簣；止而息之，盡棄前功。
譬如平地，雖覆一簣；前而往之，終竟全功。

爲父母者，必詔子女；父子和樂，家門興焉。
爲兄姊者，必教弟妹；兄弟和睦，家風旺焉。

蔬水曲肱，孔子忍飢；胯下蒙羞，淮陰忍辱。
陋巷簞瓢，顏子忍貧；唾面自乾，婁公忍侮。

高而雅者，雅可破俗；雅於言也，雅於行也。
道而化者，化可破執；化於德也，化於理也。

寧可鬥志，不願鬥氣；既有志節，亦有銳氣。
寧可鬥智，不願鬥力；既有智慧，亦有毅力。
欲起是病，制之是藥；遣欲制欲，自然澄心。
念起是病，止之是藥；消念止念，自然定心。
學海無涯，唯勤是岸；橫度學海，精勤不已。
青雲有路，以志爲梯；攀登青雲，矢志不移。
前人種樹，後人乘涼；人人教我，我教人人。
前人鋪路，後人方便；人人爲我，我爲人人。

忍一時也，息一怒也；忍一時氣，風平浪靜。
退一步也，讓一著也；退一步想，海闊天空。

少要奮鬥，老宜從容；少不勤苦，老必艱辛。
少要進取，老宜恬淡；少不努力，老必傷心。

不學則已，學之必能；不問則已，問之必知。
不思則已，思之必得；不辨則已，辨之必明。

拂人之情，怨必及身；人有情求，合義順應。
違人之欲，禍必及身；人有欲求，合理順遂。

居家不忍，忿氣叢生；忍受戾氣，增加祥氣。
處世不忍，怒氣迭起；忍受怨氣，增進瑞氣。
不憤不啓，不學不得；學而思之，則不罔也。
不悱不發，不思不得；思而學之，則不殆也。
大禮之至，天地同節；禮以節之，則自無爭。
大樂之至，天地同和；樂以和之，則自無怨。
國家安危，繫於是非；是則安之，安不忘危。
國家存亡，繫於實虛；實則存之，存不忘亡。

周易逆成，相逆相成；由逆而成，由順而成。
老氏反成，相反相成；用反而成，用正而成。
君上任德，臣下感義；任德感義，不忍爲非。
君上任察，臣下畏罰；任察畏罰，不敢爲非。
事敗有過，過不推諉；有過自承，人必感德。
事成有功，功不獨居；有功謙讓，人必感恩。
德行宏大，守恭者榮；祿位尊盛，守卑者貴。
聰明睿智，守愚者益；博聞多見，守淺者廣。

處困苦中，忍得下氣；我能克苦，則自無苦。

適患難來，沉得住氣；我能克難，則自無難。

無好勝心，諧而和之；吃虧一點，便宜讓人。

無爭奪心，順而安之；減損一些，利益讓人。

咬緊牙根，堅忍不移；困苦心志，出類拔萃。

立定腳跟，堅毅不動；勞苦心力，出塵脱俗。

未事之前，不多言語；事前敬畏，畏則免禍。

既事之後，不伐功能；事後懊悔，悔則改過。

平安之福，功德是壽；欲求福壽，在乎存心。
知足是富，適情是貴；欲求富貴，在乎立志。
寧下勿高，寧小勿大；大處著眼，小處著手。
寧後勿先，寧近勿遠；遠處著眼，近處著手。
自己情感，切不可恣；情不能滅，平情而已。
自我欲望，切不可縱；欲不能絕，節欲而已。
人生如戲，何必計較；蝸牛角上，不論贏輸。
人生如夢，何必當眞；石火光中，不爭長短。

甘苦同嘗，生死與共；堅定立場，迎接挑戰。
風雨同舟，患難與共；堅守原則，肆應激變。
安反側者，曉之以義；義以曉之，悔而悟之。
誅反側者，繩之以法；法以繩之，禁而罰之。
笑一笑之，少一少之；提醒世人，笑則常少。
怒一怒之，老一老之；警惕世人，怒則易老。
人宜息怒，而不發怒；忍以治怒，怒則息之。
人宜解怨，而不結怨；恕以化怨，怨則解之。

存心於公，公而無私；存心於正，正而無偏。
存心於明，明而無蔽；存心於大，大而無極。

人宜持重，而不浮競；以重御輕，重爲輕根。
人宜鎮靜，而不躁急；以靜制動，靜爲動本。

以誠破僞，以拙破巧；以眞破詐，以實破虛。
以靜破躁，以澄破浮；以定破競，以安破危。

心無所繫，繫則有累；心無所蔽，蔽則不明。
心無所執，執則有滯；心無所固，固則不活。

所食愈少，則心愈開；食少心開，年事愈益。
所食愈多，則心愈塞；食多心塞，年事愈損。
清淡於名，恬淡於利；清淡恬淡，淡可破貪。
敬重於身，莊重於相；敬重莊重，重可破浮。
禮者知禮，人之所履；人人守分，以成俗也。
智者運智，人之所覺；人人證悟，以成聖也。
執拗之人，福必薄之；圓融之士，福必厚之。
急躁之人，壽必殀之；寬宏之士，壽必長之。

從小事中，顯出偉大；安於小事，無忮無求。
從卑位中，顯出高明；安於卑位，無怨無尤。
寧我恕人，勿人恕我；寧吃人虧，勿吃我虧。
寧我讓人，勿人讓我；寧受人氣，勿受我氣。
不學無德，如何立身；學貴乎眞，眞則可久。
不學無術，如何立業；學貴乎正，正則可守。
誦古訓者，足以懲心；卻嗜欲者，足以養心。
悟至理者，足以明心；戒酒色者，足以清心。

夫捭之者，料其情也；以形捭之，捭之貴周。
夫闔之者，結其誠也；以默闔之，闔之貴密。
國於平時，軍從於政；政治第一，政略第一。
國於戰時，政從於軍；軍事第一，軍略第一。
人雖住凡，而能超凡；泰然自在，怡然自得。
人雖住世，而能超世，澹然自安，欣然自樂。
我命由天，而不由己；順天安命，依天樂命。
我命由己，而不由天；勝天修命，制天立命。

人情雖薄，要耐其薄；輕浮輕薄，災及自身。
人心雖險，要測其險；陰詐陰險，殃及子孫。

先處戰地，待戰者逸；善兵先勝，而後求戰。
後處戰地，趨戰者勞；敗兵先戰，而後求勝。

堅苦意志，勞累筋骨；動心忍性，增進所能。
饑餓體膚，空乏身家；困心衡慮，增益所作。

事始於謹，始若怯也；慎重於始，終必勇也。
事始於忽，始若勇也；輕佻於始，終必怯也。

念起是病，覺之是藥；不怕念起，只怕覺遲。

欲起是病，戒之是藥；不怕欲起，只恐戒遲。

不殺生戒，不偷盜戒；不邪淫戒，不飲酒戒。

不妄言戒，不惡口戒；不兩舌戒，不綺語戒。

本有種子，熏習現行；人人安命，而不怨尤。

生起現行，熏習種子；人人立命，而不墮落。

心識生滅，精神生死；心智生滅，變異生死。

身體生滅，肉軀生死；身命生滅，分段生死。

塞水不流，必自源頭；源頭不塞，塞而復流。
伐木不生，必自根本；根本不伐，伐而復生。
先破小知，以求眞知；先有眞人，後有眞知。
先破小德，以求至德；先有至人，後有至德。
道我善者，是吾友也；言吾之善，善則勉之。
道我過者，是吾師也；言吾之過，過則改之。
鷦鷯巢林，只是一枝；偃鼠飲河，不過一腹。
華廈千間，夜眠一身；良田萬頃，日食一飽。

隨緣眞如，隨緣自性；因隨緣故，眞如萬法。

不變眞如，不變自性；因不變故，萬法眞如。

一笑笑之，可治百病；再笑笑之，能解千愁。

一怒怒之，可傷百體；再怒怒之，能煩千心。

欲人勿聞，莫若勿言；自暴之人，不與之言。

欲人勿知，莫若勿爲；自棄之人，不與之爲。

致虛極者，由虛而覺；虛能包容，虛極則靈。

守靜篤者，由靜而知；靜能制變，靜篤則明。

身在田園，有匡時志；居廟堂者，心憂庶民。
身在廟堂，有煙霞想；處田園者，心繫邦國。
我是人疑，於吾何與；心平氣和，修己善群。
我是人謗，於吾何慚；心安理得，敬業樂群。
先公後私，公而忘私；公重於私，公私分明。
先義後利，義而忘利；義重於利，義利分清。
人知有利，以爲利也；不知無害，亦是利也。
人知有害，以爲害也；不知有利，亦是害也。

明道主靜，澹靜明心；平易和煦，坐沐春風。

伊川主敬，居敬窮理；嚴峻肅穆，立雪程門。

明哲保身，自持得宜；善自持者，進退有道。

韜智隱能，自處得當；善自處者，辟禍有方。

一切隨心，隨心所欲；欲所當欲，而不踰矩。

一切隨意，隨意所爲；爲所當爲，而不違規。

刃之鈍者，石上磨之；刀不磨礪，則難鋒利。

人之鈍者，事上磨之；人不磨鍊，則難精巧。

繩鋸木斷，水滴石穿；學道之人，恆常修爲。

瓜熟蒂落，水到渠成；得道之人，任運機緣。

性情不同，因而御之；因應乘制，圓滿周備。

才德有異，因而用之；因革損益，圓全至善。

名不正者，威則不立；人無威望，難以制人。

法不嚴者，信則不立；人無信實，難以服人。

常因自然，而不益生；善養生者，自不益生。

常因無爲，而不戕生；善攝生者，自不戕生。

隨緣惜緣，機緣結緣；自作良緣，與人結緣。

知福惜福，祈福造福；自求多福，爲人造福。

見賢即舉，舉而能先；任舉賢人，切勿貳意。

見惡即退，退而能遠；摒退惡人，切勿遲疑。

世無直蓬，麻中則直；染蒼則蒼，近朱者赤。

人無惡蕕，蕕中則惡；染黃則黃，近墨者黑。

聰明睿智，守之以愚；勇力振世，守之以怯。

功被天下，守之以讓；富有四海，守之以謙。

邦重於己，可寄重責；爲國家者，貴於爲身。
公重於己，可託重任；爲天下者，愛於爲身。
取人爲善，予人爲善；以善養己，以善予人。
勸人爲善，化人爲善；以善持己，以善化人。
患生於微，謹於細微；熒熒不救，星火燎原。
禍起於忽，愼於輕忽；涓涓不塞，蟻穴江河。
心要空虛，義理來居；人不虛心，則難知事。
心要充實，物欲勿入；人不實心，則難成事。

常行不息，行之常至；不行則已，行之必至。

常爲不止，爲之常成；不爲則已，爲之必成。

人之同者，形骸軀體；形體世界，善修身命。

人之異者，心智德性；心性世界，善修慧命。

謹守五戒，彰顯十善；五戒十善，圓滿人格。

修持四攝，弘揚六度；四攝六度，圓全事業。

天天修道，爲道日損；爲道日虛，虛而悟之。

天天進學，爲學日益；爲學日實，實而證之。

善窮理者，居敬益進；居敬愈篤，窮理愈深。
善居敬者，窮理益密；窮理愈精，居敬愈固。
運用否定，重在化人；抑制他人，化人思想。
運用肯定，重在立己；宣揚自己，立己思想。
處叔季世，方圓並用；善處世者，方圓自在。
待庸俗人，嚴寬互濟；善待人者，嚴寬得宜。
謀事宜慎，見事宜明；理若未明，難辨眞僞。
任事宜勇，處事宜公；心若不公，難裁臧否。

學理不精，難爲明主；主不可怒，才可興師。
兵法不熟，難爲良將；將不可慍，方可致戰。
人不求福，則自無禍；福禍無常，惟己所召。
人不求利，則自無害；利害無定，惟己所作。
至言去言，無言之教；有所不言，言必有當。
至爲去爲，無爲之事；有所不爲，爲必有成。
眼睛要亮，亮不吃虧；言語要謹，謹不惹禍。
心思要細，細不僨事；意氣要平，平不執拗。

現在之福，積自祖宗；隨享隨少，不可不惜。
將來之福，貽於子孫；愈添愈多，不可不培。
好高騖遠，人之常情；好逸惡勞，人之常態。
好吃懶做，人之常病；好易惡難，人之常習。
玉不琢磨，則不成器；玉須百雕，才顯精美。
人不學習，則不知道；人須百鍊，才現圓熟。
墮肢體者，離形忘身；形身雙忘，與物合一。
黜聰明者，去知忘神；知神雙忘，與道合一。

日日煉心，以清心源；清澈心源，自不動心。

天天煉氣，以淨氣海；淨化氣海，自不動氣。

世情冷暖，何須掛肚；世味濃艷，淡泊即安。

世態炎涼，曷用牽腸；世路崎嶇，退讓便穩。

有正無奇，遇危而覆；守經通權，化險爲夷。

有奇無正，勢極而沮；守常應變，化敗爲勝。

人無所尚，自不爭競；吾惟不矜，何競之有。

人無所貴，自不追逐；吾惟不伐，何逐之有。

周公之才，不驕不吝；吾人有才，何可自矜。
顏回之學，若無若虛；吾人爲學，怎可自足。
謀不豫定，無以待敵；略必活用，而後動之。
計不先設，無以應卒；策必活用，而後行之。
時不可失，間不及謀；決斷遲疑，百事之禍。
機不可逸，間不容息；行動猶豫，百事之害。
人能善化，無所不化；化則不固，以破固執。
人能善轉，無所不轉；轉則不滯，以破滯礙。

人欲自立，我則立之；人之能立，若己之立。
人欲自達，我則達之；人之能達，若己之達。

大智若愚，智者不惑；大盈若沖，用之不窮。
大勇若怯，勇者不懼；大成若缺，用之不弊。

欲念如水，不遏滔天；水性雖柔，尤宜善制。
忿怒如火，不遏燎原；火性雖烈，尤宜善克。

羊尚跪乳，羊之報恩；知恩報恩，君子之爲。
烏尚反哺，烏之行義；知義行義，俠士之爲。

以屈待伸，以逸待勞；以幽爲明，以辱爲榮。

以靜制動，以實制虛；以退爲進，以守爲攻。

臣吳之羞，勾踐忍之；胯下之辱，韓信忍之。

納履之窘，張良忍之；屢敗之氣，劉邦忍之。

我不欲戰，故爲之戰；誘敵之戰，斯爲上戰。

我不欲爭，故爲之爭；誘敵之爭，斯爲上爭。

志力強毅，毋餒於氣；氣若餒了，則志亦弱。

志願堅定，毋竭於氣；氣若竭了，則志亦衰。

鷙鳥將撲，卑飛斂翼；鷙鳥之擊，必俛其首。
猛獸將搏，弭耳俯伏；猛獸之攫，必匿其爪。

義可以取，可以無取；取而傷廉，寧可不取。
義可以與，可以無與；與而傷惠，寧可不與。

日月光照，光無私照；日月普照，光照天地。
聖哲德化，德無私化；聖哲敎化，德化天下。

惡諸人者，則去諸己；人之所惡，因而棄之。
欲諸人者，則求諸己；人之所欲，因而予之。

天地爲心，徹乎遠大；悠久無疆，無不覆載。
日月爲照，達於高明；圓通無礙，無不灼耀。
率己之性，任其所長；盡己之性，順其所長。
節己之性，助其所長；復己之性，導其所長。
君若爲小，易失大本；不事於小，則大本立。
君若爲細，易失大綱；不事於細，則大綱立。
多慮多失，不如守一；慮多志散，志散妨道。
多知多事，不如息意；知多心亂，心亂生惱。

心貴能虛，致虛至極；虛而能柔，以虛統實。

心貴能靜，守靜至篤；靜而能默，以靜制動。

海大無邊，以天作岸；福如東海，四季如春。

山高絕頂，以我爲峰；壽比南山，千年如松。

言而正者，信而有徵；與正人交，益者三友。

言而佞者，信而無徵；與佞人交，損者三友。

不明即學，學以廣智；敏而好學，博而學之。

不知即問，問以廣識；疑而好問，審而問之。

聖人心寂，寂如止水；水不揚波，自然澄定。
至人智照，照如明鏡；鏡不蒙翳，自然光亮。
本然人性，自然之我；自然人性，知情意欲。
應然人生，當然之我；當然人生，眞善美聖。
充實生活，增進生活；人生意義，無限擴大。
延續生命，創造生命；人生價值，無限提高。
天地爲心，徹乎遠大；天地無私，故成其大。
日月爲照，達於高明；日月無私，故成其明。

飽經憂患，知見日精；知見高超，照魔明珠。

深受苦難，毅力日韌；毅力堅定，斬魔利劍。

花開花落，花之榮枯；花有開落，花無常榮。

雲卷雲舒，雲之聚散；雲有卷舒，雲無常聚。

假仁假義，不仁不義；既仁且義，仁人義士。

愚忠愚孝，非忠非孝；既忠且孝，忠臣孝子。

魚在水中，相忘於水；魚適於水，則自安樂。

人在道中，相忘於道；人適於道，則自安得。

愚癡醜惡，要能包容；心如太虛，所不容。
侮辱污穢，要能含忍；量如天地，所不忍。
無爲於先，自爲於后；順應自然，爲所當爲。
無治於前，自治於後；因任自然，治所當治。
人有善舉，揚善公廷；知善必行，勇於行善。
人有過失，規過私室；知過必改，勇於改過。
風來疏竹，竹不留聲；雁度寒潭，潭不留影。
彩繪描空，空不留色；利刀割水，水不留痕。

筌以求魚，得魚忘筌；蹄以求兔，得兔忘蹄。

象以詮意，得意忘象；言以詮理，得理忘言。

遇困苦時，再接再厲；刻苦自勵，方能脫苦。

逢艱難時，愈挫愈奮；克難自勉，方能紓難。

天之生民，非爲君也；民爲貴者，民爲邦本。

天之立君，以爲民也；君爲輕者，君爲邦主。

貞而不諒，欲而不貪；樂而不淫，哀而不傷。

矜而不爭，勞而不怨；威而不猛，犯而不較。

誠而眞者，眞則無妄；妄誕欺詐，即是不誠。

敬而畏者，畏則無怠；怠惰放肆，即是不敬。

白玉投泥，不染於泥；玉必琢磨，才成美玉。

黃金置火，不鎔於火；金必鍛鍊，才成精金。

謀略貴詳，圓而且通；略雖預設，貴能轉化。

計策貴週，靈而且活；策雖豫定，貴能應變。

智術謀士，遠見明察；不明察者，安能斷私。

法術策士，強毅勁直；不勁直者，焉能矯奸。

大則難攻，小則易服；避大擊小，服小劫大。

強則難攻，弱則易服；避強擊弱，服弱劫強。

燈有膏油，燈則明之；膏盡油枯，燈則滅矣。

人有精髓，人則壽之；精盡髓竭，人則歿矣。

看得透者，心機活潑；看得空者，自不沾滯。

放得開者，氣象廓大；放得下者，自不泥執。

人皆取實，己獨取虛；以虛爲實，內實外虛。

人皆取有，己獨取無；以無爲有，內有外無。

親賢臣之，遠佞臣之；先漢治世，所以興隆。
親佞臣之，遠賢臣之；後漢治世，所以傾頹。

先天命運，出生爲止；先天命理，命無定命。
後天相運，出生之后；後天相理，相無定相。

美之爲美，惟獨自然；自然之美，美貴乎藏。
善之爲善，惟獨無爲；無爲之善，善貴乎隱。

立於志者，毋惰其氣；持於志者，毋暴其氣。
強於志者，毋餒其氣；堅於志者，毋竭其氣。

將欲歙之，必固張之；一張一歙，老之幾也。

將欲闔之，必固闢之；一闢一闔，易之神也。

己有覺解，缺而勝圓；知圓知缺，抱缺常圓。

己有證悟，半而勝全；知全知半，守半常全。

好民之好，與民同好；衆人所好，吾亦好之。

惡民之惡，與民同惡；衆人所惡，吾亦惡之。

天作孽者，猶可違也；天降災禍，猶能逃命。

自作孽者，不可活也；自造災難，不能逃命。

心之正者，性理本然；正而不偏，理勝於欲。
心之偏者，情欲發作；偏而不正，欲勝於理。
圖大於小，觀小如大；先小後大，爲之可也。
圖難於易，視難若易；先易後難，作之可也。
人身雖死，眞性不死；身雖可壞，性靈不滅。
人形雖亡，眞神不亡；形雖可毀，神識不滅。
死生由命，安之於命；安乎命者，莫致致之。
富貴在天，順之於天；順乎天者，莫爲爲之。

形器世界，物質文明；提煉物質，精緻科學。
心靈世界，精神文化；提昇精神，弘揚道德。
十口心思，思念思義；思國思家，又思杜稷。
寸身言謝，謝恩謝忱；謝天謝地，又謝君親。
眞虛不虛，天之象也；虛則受之，无所不容。
眞無不無，道之體也；無則大之，无所不生。
我爲假名，我無自性；眞見知我，我空眞如。
法爲假名，法無實體；眞見知法，法空眞如。

水之性清，沙石穢之；水至清者，則無魚也。
人之性淨，嗜欲染之；人至淨者，則無徒也。

凡善攻者，敵不知守；善守備者，退可自保。
凡善守者，敵不知攻；善攻擊者，進可全勝。

心性湛然，靈光不昧；修心養性，可以成聖。
心性朗然，清淨在躬；明心見性，可以成佛。

密密竹林，任水流動；竹密不妨，流水過耳。
高高山峰，任雲浮動；山高不礙，浮雲飛耳。

生命意義，充實之美；珍惜生命，追求完美。
生命價值，光大之善；熱愛生命，追求完善。
精神之我，即眞體我；存眞我者，先天之我。
物質之我，即假體我；煉假我者，後天之我。
戒勿多言，多言多失；勿謂何傷，禍患將長。
戒勿多事，多事多敗；勿謂何殃，禍害將大。
謀略須詳，而不獨制；謀定而動，謀不厭詐。
計策須周，而不孤行；計定而擊，計不避術。

語往無始，莫能追焉；語來無終，莫能止焉。
語大無外，莫能載焉；語小無內，莫能破焉。

兩利相權，要取其重；權衡重輕，重輕緩急。
兩害相權，要取其輕；權度利害，利害得失。

以物觀物，物我無分；物即是我，我即是物。
以物付物，物我有分；物自爲物，我自爲我。

爲矜名故，德蕩乎名；可名之德，德即不全。
爲競爭故，知出乎爭；可爭之知，知即不明。

不念舊惡，怨之者希；忘了舊惡，寬恕待之。

不計昔非，憎之者寡；忘了昔非，寬宥處之。

日月欲明，浮雲蓋之；撥開浮雲，日月自明。

河水欲清，沙石穢之；移開沙石，河水自清。

天地無心，生育萬物；天地之常，心普萬物。

聖人無心，教化萬民；聖人之常，心順萬民。

離心力大，萬物散毀；精神散亂，無微弗毀。

向心力大，萬物聚成；精神聚凝，無鉅弗成。

天地不仁，天道無親；天地之道，利而不害。
聖人不仁，聖道無私；聖人之道，爲而不恃。
至人心齋，心齋無己；聖人無念，無念無名。
眞人坐忘，坐忘無身；神人無爲，無爲無功。
孔子汎愛，汎愛世人；己之不欲，勿施於人。
耶穌博愛，博愛世人；己之所欲，願施於人。
譽之與毀，譽毀不較；譽毀無憑，則毋著意。
榮之與辱，榮辱不驚；榮辱有運，則毋繫念。

位之不尊，何足患之；德之不崇，才是患也。

祿之不夥，何足恥之；智之不博，才是恥也。

饑則食之；食即是藥；不饑不食，不食亦藥。

渴則飲之，飲即是藥；不渴不飲，不飲亦藥。

天道無爲，無所不化；天地化育，非無所化。

聖人無言，無所不教；聖哲教民，非無所教。

文韜武略，文武合一；允文允武，德術兼修。

身健心明，身心平衡；養身養心，手腦並用。

人之爲學，有難易乎；學無難易，在人自覺。
人之爲事，有繁簡乎；事無繁簡，在人自治。
活得健康，活得快樂；活得平安，活得幸福。
活得尊嚴，活得自在；活得逍遙，活得超脫。
一忍再忍，可增百壽；當忍即忍，能添千瑞。
一恕再恕，可進百福；當恕即恕，能益千祥。
水無常形，因地制流；水隨形流，避高趨下。
兵無常勢，因敵制變；兵隨勢變，避實擊虛。

欲親反疏，欲闢反闔；爲之以闔，應之以闢。

欲進反退，欲張反歛；爲之以歛，應之以張。

儉於飲食，以養脾胃；儉於嗜欲，以聚精神。

儉於言語，以養氣息；儉於忮求，以安身心。

人神好清，而心擾之；能澄心者，則神自清。

人心好靜，而欲牽之；能遣欲者，則心自靜。

漠然無爲，而無不爲；無不爲者，因物自爲。

澹然無治，而無不治；無不治者，因物自治。

心性本淨，客塵所染；拂去客塵，即現淨性。
心性本覺，妄念所迷；斷除妄念，即顯覺性。
起心動念，語默作息；無一非道，無不超脫。
揚眉瞬目，行住坐臥；無一非禪，無不自在。
寓禪於詩，境界高遠；禪是詩家，切玉之刀。
以詩喻禪，意趣豐富；詩為禪客，添花之錦。
過去現在，未來為世；世為遷流，時間無限。
東西南北，上下為界；界為方位，空間無盡。

己不可傲，傲為凶德；戒傲之道，莫如謙沖。

己不可惰，惰為衰氣；戒惰之道，莫如勤奮。

覺人之詐，不形於言；謹言慎言，自不失言。

受人之侮，不動於色；愉色悅色，自不失色。

狂者奮進，志氣可取；當狂則狂，有所必為。

狷者拘謹，志節可嘉；當狷則狷，有所不為。

日月之光，陰雲所蔽；風吹雲散，日月現光。

寶鏡之明，塵埃所蒙；拂拭埃落，寶鏡顯明。

天下難事，必作於易；從易而難，治難於易。

天下大事，必作於細；由細而大，爲大於細。

治骨角者，如切如磋；切而復磋，精益求精。

治玉石者，如琢如磨；琢而復磨，善更求善。

爲了國家，蒙受汙辱；受國之垢，爲社稷主。

爲了國家，深受禍殃；受國不祥，爲天下王。

實事求是，勤奮精神；勤奮工作，勝任愉快。

返璞歸眞，儉省美德；儉省生活，適性自在。

我不自見，自見不明；吾不自矜，自矜弗長。

我不自是，自是不彰；吾不自伐，自伐無功。

毋意氣者，不測度也；毋必定者，不武斷也。

毋固執者，不拘泥也；毋我是者，不私自也。

事未至者，先一著也；臨事之錯，則可避禍。

事既至者，後一著也；已事之悔，則可免殃。

逢難不避，知其節操；臨財不苟，知其廉潔。

應對不疑，知其辯識；遇事不惑，知其智慧。

聰明才智，用之於正；正念愈好，益顯其美。
聰明才智，用之於邪；邪念愈謬，適濟其奸。

惜精神者，可以卻病；能卻病痛，一身安樂。
節財物者，可以卻貧；能卻貧窮，一家安樂。

窮而變之，變則通之；既窮且變，而后能通。
正而反之，反則合之；既正且反，而后能合。

今日勤學，明日更好；日日修學，力學不止。
今天弗行，明天後悔；天天修行，力行不已。

吾愛吾師，尤愛眞理；傳承師道，尊師重道。

吾愛吾家，更愛鄉邦；興繼家國，齊家治國。

不曲不全，曲而能全；不枉不直，枉而能直。

不窪不盈，窪而能盈；不敝不新，敝而能新。

好爭辯者，易於招怨；寧靜默之，以怡性也。

好逞強者，易於惹妒；寧韜智之，以示拙也。

自我啓發，自我創造；自我實現，自我完成。

自我逍遙，自我解脫；自我超越，自我聖化。

身有忿怒，心不得正；身有恐懼，心不得正。
身有好樂，心不得正；身有憂患，心不得正。
昨日之事，不延現在；昨日之非，亦不可留。
今日之事，不待明天；今日之是，亦不可執。
聖人之治，無爲而治；虛心實腹，弱志強骨。
小國之治，無爲而治；甘食美服，安居樂俗。
欲上人者，言必下之；處上而謙，謙不自現。
欲先人者，身必後之；處先而讓，讓不自貴。

勿須多言，多言必失；多言無益，易招怨懟。

不可妄言，妄言必敗；妄言有害，易惹禍災。

老助於定，精於忘我；道家老子，天乘之聖。

孔助於戒，嚴於治身；儒家孔子，人乘之聖。

先天具有，本有種子；本有爲因，生起現行。

後天習熏，新熏種子；新熏爲因，復起現行。

野狐禪者，不落因果；一字之誤，墮畜生道。

百丈禪者，不昧因果；一字之正，得解脫道。

持身涉世，當遵道德；道德規範，法律之隱。
處世接物，應守法律；法律規制，道德之顯。
老聃立言，客觀論述；老子所述，道德眞經。
莊周立言，主觀識見；莊子所見，南華眞經。
寧可無福，亦不享福；欲求有福，先求無禍。
寧可無功，亦不邀功；欲求有功，先求無過。
一多相即，相即相融；一可即多，多可含一。
大小互入，互入互攝；大可入小，小可容大。

所惡於上，毋以使下；所惡於下，毋以事上。

所惡於前，毋以先後；所惡於後，毋以從前。

尚兵之戰，以鎰稱誅；勿戰而勝，上善之善。

敗兵之戰，以銖爲鎰；雖戰而勝，非善之善。

正心誠意，修之於身；孝弟忠信，齊之於家。

敬老愛幼，處之於鄉；仁義道德，治之於國。

一心實體，爲緣能起；能緣實體，實不離現。

萬法現象，爲緣所生；所緣現象，現不離實。

得魚之筌，以筌爲魚；標筌得魚，得魚捨筌。
標月之指，以指爲月；標指得月，得月捨指。
心靜神凝，心動神疲；神聚則強，神散則亡。
心逸神安，心勞神瘁；神旺則昌，神衰則病。
於相捨相，捨相而修；勿見可欲，心自不亂。
於相住相，住相而修；雖見可欲，心亦不亂。
明珠在掌，淨而亮之；明珠照魔，以照邪魔。
慧劍在握，堅而利之；慧劍斬魔，以斬惡魔。

孟子四端，宜善擴充；存中應外，靜之妙用。

顏子四勿，宜善收斂；制外養中，敬之妙用。

禪言心慧，慧重理智；以禪喻詩，詩境高遠。

詩言心志，志重情感；以詩喻禪，禪意豐富。

如理智者，根本智也；眞智實智，爲已見道。

如量智者，後得智也；世智權智，爲未見道。

惠施觀魚，物我有別；物吾相隔，天人分立。

莊周觀魚，物我無別；物吾相融，天人合一。

安定易持，微兆易謀；爲於未有，則易爲之。
脆弱易判，微小易散；治於未亂，則易治之。
浮躁淺薄，褊窄急促；德固不足，才亦不足。
凝重寬厚，廣大從容；德固有餘，福亦有餘。
霜不嚴者，難知貞木；風不疾者，難知勁草。
國不亂者，難識忠良；事不困者，難識賢能。
愛己之心，以之愛人；惡人之心，以之惡己。
恕己之心，以之恕人；責人之心，以之責己。

孔子之愛，汎愛親仁；孔席不暖，汎愛天下。
墨子之愛，兼愛同仁；墨突不黔，兼愛天下。
寓直於屈，大直若屈；寓智於愚，大智若愚。
寓巧於拙，大巧若拙；寓辯於訥，大辯若訥。
憂民之憂，與民同憂；憂以天下，吾先憂之。
樂民之樂，與民同樂；樂以天下，吾後樂之。
天之所視，自我民視；非禮勿視，視民所視。
天之所聽，自我民聽；非禮勿聽，聽民所聽。

爲政治民，治民宜寬；廣求民瘼，體察民意。

行法御吏，御吏宜嚴；廣求吏惡，深探吏奸。

不方爲方，方而不割；不直爲直，直而不肆。

不廉爲廉，廉而不劌；不光爲光，光而不耀。

合抱之木，從小而生；大由小生，生於毫末。

九層之臺，由下而起；高從下起，起於累土。

氣之本體，務求充盈；氣充而盈，浩然磅礴。

氣之運行，須求和順；氣和而順，周流通達。

審分立法，正名立威；名不正者，威則不立。
顯貴立勢，嚴令立信；令不嚴者，信則不立。
乾示人易，易知有親；有親可久，賢人之德。
坤示人簡，簡能有功；有功可大，賢人之業。
人能清淨，自然而然；自然勿助，不助所長。
人能清靜，莫致而致；莫致勿忘，不忘所爲。
煉精化氣，煉氣化神；煉精煉氣，長生之事。
煉神還虛，煉虛合道；煉神煉虛，登眞之事。

正見正思，正念正定；正見爲本，正念爲宗。
正命正語，正業正勤；正命爲主，正業爲輔。
善養生者，謹防小損；無損無傷，養生益壽。
善修命者，愼防小病；無病無痛，修命延年。
人有恆心，難事亦易；治事能勤，事繁亦簡。
人無恆心，易事亦難；治事不勤，事簡亦繁。
適度用心，鍛鍊腦髓；勞心過度，易竭腦髓。
適度用力，強健筋骨；勞力過度，易疲筋骨。

天地之内，仁義爲重；行仁行義，仁義雙至。

國家之中，忠孝爲先；盡忠盡孝，忠孝雙全。

學而不思，則迷罔也；思而不學，則危殆也。

學而不疑，則泥滯也；疑而不學，則昏昧也。

己立之後，更要立人；己立立人，推立之心。

己達之後，更要達人；己達達人，廣達之願。

生死由命，富貴在天；當生則生，當死則死。

行止隨緣，榮寵不驚；時行則行，時止則止。

心念散亂，不能鎮定；治散亂病，把心放下。
心念昏沈，不能發慧；治昏沉病，把心提起。

走過瓜田，寧不納履；彎腰納履，易遭人議。
經過李下，寧不整冠；抬頭整冠，易遭人疑。

即一切用，提起一切；提得起者，任事知進。
離一切用，放下一切；放得下者，修道知退。

選賢與能，以黜奸邪；任能去佞，以遠奸邪。
舉正與直，以罷不肖；薦直錯枉，以導不肖。

永遠向上，上升天界；有自信心，不至不休。

永遠向前，前往淨土；有自信力，不達不止。

身不妄動，口不妄言；心不妄想，所以存誠。

外不欺人，內不欺己；上不欺天，所以慎獨。

衆人皆明，唯我獨暗；俗人昭昭，吾獨昏昏。

衆人皆清，唯我獨濁；俗人察察，吾獨悶悶。

守紀律者，重秩序也；負責任者，肯犧牲也。

別公私者，明職分也；能奮鬥者，知進取也。

心之所趨，無遠弗達；窮山距海，不能阻擋。
志之所向，無堅弗入；銳甲精兵，不能抵禦。

悅納衆人，舉薦賢人；尊重賢人，而導不肖。
汎愛衆人，推戴善人；嘉許善人，而矜不能。

不學不精，精益求精；既無故障，亦無缺點。
不修不善，善更求善；既無罣礙，亦無缺憾。

合情合義，情義爲先；情重法輕，情不枉法。
合法合理，法理爲重；法重情輕，法不悖情。

仁者教人，愛人如己；愛己愛人，不惡於人。

慈者教人，恕人如己；恕己恕人，不責於人。

爲學日益，益無可益；善爲學者，損中求益。

爲道日損，損無可損；善爲道者，益中求損。

欲爲大人，何惜生命；要做大事，必須奉獻。

欲爲聖人，何憂身命；要做聖事，必須服務。

用人不疑，疑而不用；推心置腹，心腹待人。

任人不貳，貳而不任；披肝瀝膽，肝膽照人。

自家有過，自我悔悟；待禍敗時，悔過莫及。
自家有病，自我醫治；待歿亡時，醫病莫用。

水能載舟，亦能覆舟；水不可戲，戲水自溺。
火能利人，亦能害人；火不可玩，玩火自焚。

夫嚴刑者，民之所畏；陳其所畏，以禁其邪。
夫重罰者，民之所惡；設其所惡，以防其姦。

人若妄爲，爲者敗之；順乎自然，無爲無敗。
人若妄執，執者失之；合乎當然，無執無失。

不忮不求，澹泊自甘；自甘自怡，福德廣大。

不將不迎，廉明自持；自持自守，福慧增長。

善以導政，道德規範；徒有善心，不足爲政。

刑以齊行，法律規戒；徒有刑罰，不足自行。

教法圓融，圓教之相；有教無觀，則迷惘也。

觀法圓融，圓觀之心；有觀無教，則危殆也。

無好惡心，無忿怒心；治怒非難，克己而已。

無憂患心，無恐懼心；治懼非難，明理而已。

剛毅木納，弗驕弗慢；矢勤矢勇，勿怠勿忽。
公正廉明，毋枉毋縱；至中至和，不亢不卑。
天下有道，聖人成焉；舉世譽之，而不加勸。
天下無道，聖人出焉；舉世非之，而不加沮。
我有耳目，吾物吾格；格物致知，勤究學問。
我有心智，吾理吾窮；窮理盡性，敬重德行。
凝合心神，心止臍下；心神默默，心神舒暢。
調和氣息，氣歸臍下；氣息綿綿，氣息活潑。

爲之以闔，應之以闢；知因知幾，卷舒自如。
爲之以歙，應之以張；明勢明乘，窮通自在。
嚴督勤察，不稍假借；要塞奸慝，於無形內。
重刑猛罰，不稍寬容；要杜弊竇，於未生中。
涉江湖者，江湖波濤；波濤洶湧，履險如夷。
登山嶽者，山嶽谿谷；谿谷崎嶇，踏危如安。
國之將興，貴師重傅；貴而重之，則法度行。
國之將衰，賤師輕傅；賤而輕之，則法度壞。

常道廢除，則有仁義；六親失和，則有孝慈。
知識出現，則有巧僞；國家昏亂，則有忠良。
依緣起觀，時間幻有；時間流動，流動不息。
依緣起觀，空間幻有；空間變動，變動不居。
出門大吉，迎候春到；年年迎春，春則滿院。
入門大利，接待福來；歲歲接福，福則盈堂。
生死涅槃，彼此對立；轉化生死，即是涅槃。
煩惱菩提，彼此對待；轉化煩惱，即是菩提。

國家有道，有道則顯；得顯達時，言足以興。
國家無道，無道則隱；得隱逸處，默足以容。

有生有死，有死有生；生生死死，生死輪迴。
有因有果，有果有因；因因果果，因果循環。

人從法者，法則行之；法行而治，國家興盛。
法從人者，法則敗之；法敗而亂，國家衰亡。

聖哲修養，己立立人；自己立了，更要立人。
聖哲修爲，己達達人；自己達了，還要達人。

有以常勝，有以變勝；惟守常者，知所應變。
有以正勝，有以奇勝；惟守正者，知所致奇。
飄搖之風，不會終朝；驟然之雨，不會終日。
花開之美，不會常好；月望之盈，不會常圓。
盡其在我，休諉於人；自力自助，自助助人。
求其在我，休望於人；自強自立，自立立人。
謀天下者，先明天下；全明人事，謀事必中。
料天下者，先知天下；全知人事，料事必成。

天地大德，謂之生也；而生之者，仁之用也。
聖人大德，謂之仁也；而仁之者，生之本也。

教下經教，依經明理；理以修證，體達眞境。
宗門禪宗，參禪明心；心以悟證，當通妙境。

人有所可，亦有所否；吾獻其否，以成其可。
人有所否，亦有所可；吾獻其可，以去其否。

持身貴嚴，嚴近乎矜；矜是乖氣，嚴是正氣。
處世貴謙，謙似乎諂；諂是媚心，謙是虛心。

假仁而霸，霸道服人；力以懾人，非心服也。
行仁而王，王道服人；德以感人，衷心服也。
凡神識神，後天之神；識神不絕，總是凡人。
眞神元神，先天之神；元神獨照，即是眞人。
天地性量，覆蓋持載；天地盛德，生生不息。
天地正氣，清剛浩大；天地健行，自強不息。
道有清濁，清爲濁源；天清地濁，男清女濁。
道有動靜，動爲靜基；天動地靜，男動女靜。

人有生苦，亦有老苦；愛別離苦，怨憎會苦。

人有病苦，亦有死苦；求不得苦，五陰盛苦。

菩薩低眉，低眉慈祥；慈悲心腸，慈濟六道。

金剛怒目，怒目威猛；威嚴手腕，威懾四魔。

諸行無常，無常故苦；無常觀中，照見眞常。

諸法無我，無我故空；無我觀中，照見眞我。

布施持戒，忍辱度行；不著於相，三輪體空。

禪定般若，精進度行；不執於相，三輪皆空。

虧己利人，捨己爲人；愈是爲人，則己愈有。
損己益人，薄己與人；愈是與人，則己愈多。

有一人痛，猶己使之；視人之痛，猶己之痛。
有一人傷，猶己致之；視人之傷，猶己之傷。

君子宜家，無愧於家；不愧父母，無愧親人。
君子經邦，無負於邦；不負社稷，無負生民。

修戒定慧，息貪瞋癡；無相無住，無念無礙。
持信願行，滅惑業苦；淨身淨語，淨意淨土。

犬可守夜，雞可司晨；人不工作，豈非枉生。
蠶能吐絲，蜂能釀蜜；人無職業，如何過活。
木之有根，木則榮之；根絕而枯，木則死矣。
魚之有水，魚則活之；水涸而竭，魚則死矣。
遇忿怒時，要忍得過；逢嗜欲時，要耐得過。
遭拂意時，要遣得過；逢苦難時，要守得過。
錢能益人，亦能損人；善用錢者，錢可助人。
藥能利人，亦能害人；善用藥者，藥可救人。

魯如曾子，得道之傳；人之資性，不足限也。
貧如顏子，得道之樂；人之境遇，不足困也。
事無鉅細，不專不精；專而愈精，事無不成。
業無大小，不熟不巧；熟能生巧，業無不立。
心貴能清，心貴能虛；心清而虛，虛藏萬物。
心貴能定，心貴能靜；心定而靜，靜顯乾坤。
少見黑者，皆曰黑也；多見黑者，皆曰白也。
少聞非者，皆曰非也；多聞非者，皆曰是也。

言語知節，則愆尤少；舉動知節，則悔恨少。
飲食知節，則疾病少；歡樂知節，則禍害少。
告之以難，以觀其勇；臨難不決，則非勇也。
期之以事，以觀其智；處事有疑，則非智也。
父子有親，父子同心；父子篤志，家道日盛。
兄弟有敬，兄弟協力；兄弟和睦，家聲日隆。
勿忮求者，無諂無媚；不忿怒者，神色和祥。
勿執著者，可圓可方；不煩惱者，心地清涼。

愈靜愈默，如晦如隱；默惟至言，言不涉聽。
愈覺愈照，如明如顯；照惟普應，應不墮功。
俗情濃處，能淡得下；俗情苦處，能忍得下。
俗情擾處，能閒得下；俗情絆處，能斬得下。
治家嚴者，家乃和也；家人和氣，和氣致祥。
居鄉恕者，鄉乃和也；鄉人和衷，和衷共濟。
欲如水者，宜窒欲之；窒欲塡壑，如防水也。
忿如火者，宜懲忿之；懲忿摧山，如救火也。

禪觀淨念，禪淨雙修；禪觀爲主，淨念爲輔。
悲心智慧，悲智雙運；悲心爲本，智慧爲用。
心住息住，心息相依；心定息定，心息相忘。
神住氣住，神氣相抱；神定氣定，神氣相注。
平地坦途，車豈无蹶；料無事者，將有事也。
巨浪洪濤，舟方可度；恐有事者，或無事也。
明道高明，見妓無心；心中無妓，座亦無妓。
伊川嚴謹，見妓有心；心中有妓，座亦有妓。

富貴人家，心存寬厚；富貴刻薄，如何能享。
聰明人家，智宜歛藏；聰明炫耀，如何能成。

夫德治者，禮樂教化；禮以教之，適然之理。
夫法治者，刑罰制裁；刑以制之，必然之理。

不經一事，不長一智；人多磨鍊，則多長進。
不經一業，不增一識；人多閱歷，則多增進。

莫之爲者，無相之爲；天意所爲，自然之爲。
莫之致者，無相之致；命運所致，自然之致。

凡事之成，必自成之；非人成也，非天成也。
凡事之敗，必自敗之；非人敗也，非天敗也。

上老老者，而民興孝；教民親愛，莫善於孝。
上長長者，而民興弟；教民禮順，莫善於弟。

禮敬神明，報答神恩；神恩浩大，恩澤蒼生。
祭拜祖宗，宏揚祖德；祖德流芳，德被子孫。

乘衆之勢，積衆之力；衆力所舉，則無不勝。
御衆之智，積衆之能；衆能所爲，則無不成。

爭先一步，路徑便窄；退後一步，寬平一步。

濃豔一分，滋味甚短；清淡一分，悠久一分。

煙囪挺直，遠移積薪；曲突徙薪，治標之計。

揚湯止沸，莫如去薪；釜底抽薪，治本之策。

飲食男女，人之大欲；欲所當欲，順乎當欲。

飲食男女，人之大戒；戒所當戒，禁乎當戒。

競名矜名，不若逃名；多事練事，不如省事。

出世入世，何必逃世；靜心了心，何須灰心。

因而循之，與理相契；因而能革，天道乃得。革而化之，與時相宜；革而能因，天道乃順。

興旺人家，豈得常興；興而不撐，即漸衰敗。衰微人家，豈得常衰；衰而能持，焉弗興盛。

寧守渾樸，而黜聰明；養些正氣，還於天地。寧謝紛華，而甘淡泊；遺個清流，留在乾坤。

心志未定，休涉紅塵；弗見可欲，心自不亂。心志既定，苟跡風塵；即見可欲，心亦不亂。

一苦一樂，相互磨練；練達成福，福則始久。

一疑一信，相互參勘；勘驗證知，知則始眞。

讀經典者，則根性厚；研理於經，以正是非。

閱史鑑者，則見識廣；徵事於史，以明成敗。

無善無惡，是心體也；有善有惡，是意動也。

知善知惡，是良智也；爲善去惡，是格物也。

毋任己意，而廢人言；毋示小惠，而傷大體。

毋因群疑，而阻獨見；毋藉公論，而快私情。

現量論述，感覺認識；主觀感性，考量事物。
比量論述，理智認識；客觀理性，處置事物。
詩境感境，即相是相；相相有殊，現差別相。
禪境覺境，即相非相；相相無分，顯平等相。
佛學教理，性相臺華；弘揚佛學，美化人生。
佛法行證，禪淨律密；實踐佛法，淨化人心。
古因明論，依正理經；五支作法，類比推理。
新因明論，依陳那說；三支作法，演繹推理。

奉獻自己，嘉惠別人；春蟬到死，絲方盡矣。
燃燒自己，照亮別人；蠟炬成灰，淚始乾矣。

用民宜寬，用吏宜嚴；嚴督責也，勤考核也。
治民宜寬，治吏宜嚴；嚴法令也，猛刑罰也。

以我轉物，自我逍遙；得固不喜，失亦不憂。
以物役我，外物繫縛；順固生愛，逆亦生憎。

行所當行，爲所當爲；行所自行，爲所自爲。
止所當止，藏所當藏；止所自止，藏所自藏。

既濟卦象，離下坎上；水上火下，既能濟物。
未濟卦象，坎下離上；火上水下，未能濟物。
人身難得，今生得之；今得人身，慈悲喜捨。
佛法難聞，今生聞之；今聞佛法，信解行證。
楊雄之言，觀天見聖；觀乎天地，則見聖人。
程頤之言，觀聖見天；觀乎聖人，則見天地。
心中有事，有事於心；有事而修，心事合一。
心中無事，無事於心；無事而寂，心事俱忘。

有形軀體，自然生命；自然軀體，身命有限。
無形精神，道德生命；道德精神，慧命無限。
道以煉神，術以固形；神形雙修，神形俱妙。
道以養性，術以延命；性命雙修，性命俱了。
自覺覺他，圓熟圓融；修涅槃心，常樂我淨。
自度度他，圓明圓全；持般若慧，悲智願行。
絕對待者，宇宙本體；本體無形，無形無爲。
相對待者，世界現象；現象有形，有形有爲。

理所當欲，安然欲之；非理之欲，斷然不欲。
義所當爲，泰然爲之；非義之爲，毅然不爲。
一淨一染，淨染消長；淨消染長，染消淨長。
一善一惡，善惡消長；善消惡長，惡消善長。
知雄守雌，爲天下谿；常德不離，復歸嬰兒。
知白守黑，爲天下式；常德不忒，復歸無極。
敲金鐘者，樂之將始；金聲發音，始條理也。
擊玉磬者，樂之將終；玉振收音，終條理也。

孟子立言，主觀言心；法先王者，尚守成也。
荀子立言，客觀言理；法後王者，尚時變也。
寬厚溫柔，足以有容；發強剛毅，足以有執。
齊莊中正，足以有敬；聰明睿智，足以有臨。
良賈深藏，若虛若空；謾藏顯露，易招盜賊。
盛德端容，若愚若笨；冶容妖媚，易致淫亂。
諸法同質，同體相即；空有相即，相融無礙。
諸法異質，異體相入；自他相入，相容無礙。

身之所宰，即是心也；心之所發，便是意也。
意之本體，即是知也；知之所在，便是物也。
大學一篇，明德親民；論語一書，在弘善行。
中庸一篇，明誠修道；孟子一書，在闡集義。
莫爲之先，雖美不彰；莫人承先，德智不彰。
莫爲之後，雖善不傳；莫人啓後，德業不傳。
天地與我，並生無待；萬物與吾，一如無分。
天地與我，同根無殊；萬物與吾，一體無別。

看空一切，看空萬物；超越一切，涵蓋萬物。
放下一切，放下萬緣；提起一切，圓融萬緣。

天地之道，圓融有無；超人境界，統攝入出。
宇宙之常，混融時空；眞人境界，渾和內外。

無心如是，自爾如是；本來如是，不能造作。
無爲如此，自然如此；永恆如此，不能變易。

道不變易，無時非道；道徧虛空，普遍性焉。
道不可離，無處非道；道滿法界，平等性焉。

錢緒山言，四有教法；接中根人，漸修入道。
王龍谿言，四無教法；接上根人，頓悟入道。

天地即我，與我爲一；自然即我，與我無分。
宇宙即我，與我不二；太虛即我，與我無別。

巍巍乎哉，峻極於天；廣廣乎哉，神妙莫測。
洋洋乎哉，浩翰如海；融融乎哉，圓通無礙。

孔子之前，中華文化；孔子繼承，而發揚之。
孔子之後，中華文化；孔子開啓，而光大之。

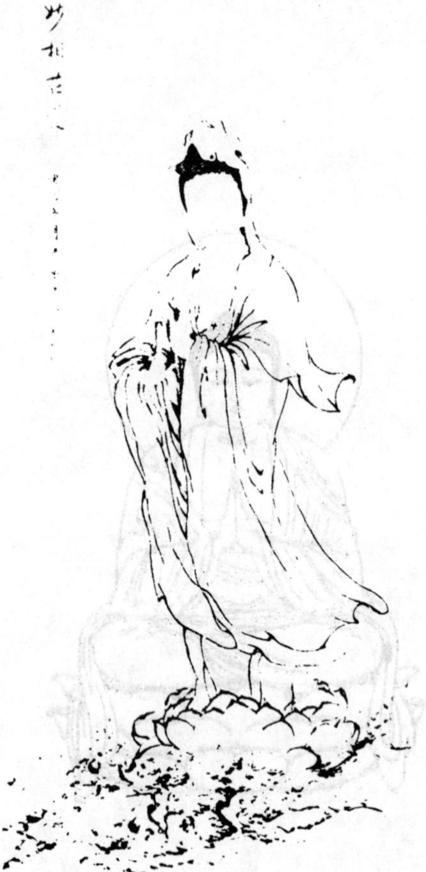

# 執中致和

一、

無極而太極，太極生陰陽。一陰一陽之謂道。在太極圖的圓中，一邊白，一邊黑；白中有一小黑點，黑中有一小白點。白黑善惡，陽陰剛柔，柔中有剛，剛中帶柔：相互攝合，彼此含融，形成宇宙間，相對循環，生滅消長，及無往不復（陽極生陰，陰極生陽）的法則。而天地中，一切事物盛衰，社會動化及人群變易的萬象，莫不隱存有：

善因善果，福緣福報；

惡因惡果，禍緣禍報；

的對動之勢與自然之理。

在形而下者：

有善有惡，知其相對，爲善去惡。

在形而上者：

無善無惡，守其絕對，忘善泯惡。

人人有一太極，物物有一太極。我們於現象界，立身待人，處世接物，應從相對太極的兩儀，保持適度的平衡與相當的中和，生生不息，行行不已，昇華返還到絕對無極的中道，以止於先天本來面目的至善。

二、「天行健，君子以自強不息」。人效法天，天人合一，自能達到「眞、善、美、聖」的境界。中國人從天道中，體會「公、誠、仁、中、行」五個字的涵意和精神，形成中華文化的道統，作為倫理道德的準繩及做人做事的基礎，其眞諦要旨如下：

公正公道，無私無我；於理言公，本于大公。

至誠盡性，成己成聖；於己言誠，發于至誠。

共生共存，仁民愛物；於人言仁，歸于求仁。

不偏不倚，時中致和；於事言中，固于執中。

日新又新，眞知健行；於功言行，成于力行。

註：本文係參照陳立夫先生「中國文化何以在二十一世紀將為世人所接受」一文簡述之。

前程萬里

# 跋語

本錦言警句，係作者歷年來琢磨的心血，僅就個人學思、觀照，及歷鍊等參究所得，以聯語句型綴集，期使「則」、「則」獨立，誦一則即能得一則之用，讀多則即能得多則之妙。單讀單參可得獨義，合參合究能得全義；由淺入深，從易而難；省思揣摩，善讀玩味。並融貫於倫常日用間，作爲修心養性，立身處世的勗勉之言。惟作者學驗有限，雖敝帚自珍，而管窺、謬誤，或辭未盡意之處，勢所難免，敬祈賢達不吝指正。

笏石　錢　濤•謹識一九九九年九月

眞善美聖

# 孝經

仲尼居，曾子侍。子曰：先王有至德要道，以順天下，民用和睦，上下無怨，汝知之乎。曾子避席曰：參不敏，何足以知之。子曰：夫孝，德之本也，教之所由生也。復坐，吾語汝。身體髮膚，受之父母，不敢毀傷，孝之始也。立身行道，揚名於後世，以顯父母，孝之終也。夫孝，始於事親，中於事君，終於立身。大雅曰：無念爾祖，聿修厥德。

簡介：本文是開宗明義章，說明全部經文的宗旨，闡明孝道的義理。

# 大學

大學之道：在明明德，在親民，在止於至善。知止而后有定，定而后能靜，靜而后能安，安而后能慮，慮而后能得。物有本末，事有終始，知所先後，則近道矣。

古之欲明明德於天下者：先治其國；欲治其國者，先齊其家；欲齊其家者，先修其身；欲修其身者，先正其心；欲正其心者，先誠其意；欲誠其意者，先致其知；致知在格物。物格而后知致，知致而后意誠，意誠而后心正，心正而后身修，身修而后家齊，家齊而后國治，國治而后天下平。

自天子以至於庶人，壹是皆以修身爲本。其本亂而末治者否矣；其所厚者薄，而其所薄者厚，未之有也。

簡介：本文爲「經」一章，係孔子之意，曾子述之。而「傳」十章，是曾子之意，門人記之。

# 中庸

天命之謂性，率性之謂道，修道之謂教。道也者，不可須臾離也，可離非道也。是故，君子戒慎乎其所不睹，恐懼乎其所不聞。莫見乎隱，莫顯乎微，故君子必慎其獨也。喜怒哀樂之未發，謂之中；發而皆中節，謂之和。中也者，天下之大本也；和也者，天下之達道也。致中和，天地位焉，萬物育焉。

簡介：本文係全篇體要，說明道的本源，其餘各章，是子思引孔子之言，推演闡明道行的功驗。

# 心經—般若婆羅蜜多心經

觀自在菩薩，行深般若波羅蜜多時，照見五蘊皆空，度一切苦厄。

舍利子，色不異空，空不異色；色即是空，空即是色。受、想、行、識，亦復如是。

舍利子，是諸法空相，不生不滅，不垢不淨，不增不減。是故空中無色，無受、想、行、識。無眼、耳、鼻、舌、身、意，無色、聲、香、味、觸、法。無眼界，乃至無意識界。無無明，亦無無明盡；乃至無老死，亦無老死盡。無苦、集、滅、道。無智亦無得。以無所得故。

菩提薩埵，依般若波羅蜜多故，心無罣礙，無罣礙故，無有恐怖，遠離顚倒夢想，究竟涅槃。三世諸佛，依般若波羅蜜多故，得阿耨多羅三藐三菩提。故知般若波羅蜜多，是大神咒，是大明咒，是無上咒，是無等等咒，能除一切苦，眞實不虛。故說般若波羅蜜多咒，即說咒曰：揭諦、揭諦，波羅揭諦，波羅僧揭諦，菩提薩婆訶。

簡介：本經是唐代玄奘大師所譯，意謂修眞智慧（般若）才能由生死苦惱的此岸，到達涅槃安樂的彼岸（波羅蜜多）。全文二百六十字，將三藏十二部的教義，含攝無遺，是般若的中心，也是佛學的核心。簡明易念，故能契入人心，成爲各宗派兼弘的經典，以及個人持誦的法言。

## 逍遥詩　彭祖

惜氣存精更養神，
少思寡欲勿勞心；
食惟半飽無滋味，
酒止三分莫過頻。
每把戲言多取笑，
常含樂意莫生瞋；
炎涼變詐都休問，
任我逍遙過百春。

## 安樂詩　袁了凡

翠死因毛貴，
龜亡爲殼靈；
不如無用物，
安樂過平生。
雀啄復四顧，
燕寢無二心；
量大福亦大，
機深禍亦深。

## 心命詩

心好命又好，富貴直到老；
命好心不好，福變為禍兆。
心好命不好，禍轉為福報；
心命俱不好，遭殃且貧夭。
心可挽乎命，最要存仁道；
命實造乎心，吉凶惟人召。
信命不修心，陰陽恐虛矯；
修心一聽命，天地自相保。

---

## 心相詩

心好相又好，
富貴直到老。
心好相不好，
鬼神不來擾。
相好心不好，
中途夭折了。
心相俱不好，
貧賤受煩擾。

# 集句詩　楊升菴

野草閒花滿地愁，龍爭虎鬥幾春秋？
抬頭吳越齊秦楚，轉眼梁唐晉漢周。
舉世皆從忙裡老，幾人肯向死前休？
賢愚千載知誰是？滿眼蓬蒿共一坵。
馬力牛筋爲子孫，龍爭虎鬥鬧乾坤；
戰塵摩擦英雄老，殺氣熏蒸日月昏。
千載幾人興後代？百年總是幻游魂；
孔明若曉其中意，高臥南陽緊閉門。

## 知足詩

人生盡是福，惟人不知足。
思量肩挑苦，步行便是福；
思量饑寒苦，飽暖便是福；
思量疾病苦，健康便是福；
思量無業苦，工作便是福；
思量奔馳苦，居家便是福；
思量煩累苦，閒靜便是福；
思量危難苦，平安便是福；
思量愚癡苦，明理便是福；
我勸世間人，不要不知足。

---

## 福禍歌　邵康節

有人來問卜，如何是禍福？
我虧人是禍，人虧我是福。
大廈千間，夜臥八尺；
良田萬頃，日食升合。
算什麼命，問什麼卜；
欺人是禍，饒人是福。
諸惡莫作，衆善奉行；
天網恢恢，報應甚速。

# 莫愁詩

邱長春詩

衣食無虧便好休，人生世上一蜉蝣；
石崇未享十年福，韓信難成十面謀。
花落三春鶯帶恨，菊開九月雁含悲；
山林多少幽閒趣，何必榮封萬户侯。

石天基詩

人生在世一蜉蝣，轉眼烏頭換白頭；
百歲光陰能有幾，一場扯淡沒來由。
當年楚漢今何在，昔日蕭曹盡已休；
遇飲酒時須飲酒，青山偏會笑人愁。

# 養心歌

邵康節

得歲月，延歲月；得歡悅，且歡悅；
萬事乘除總在天，何必愁腸千萬結。
放心寬，莫量窄，古今興廢如眉列；
金谷繁華眼底塵，淮陰事業鋒頭血。
陶潛籬畔菊花黃，范蠡湖邊蘆絮白；
臨潼會上膽氣雄，丹陽縣裡蕭聲絕。
時來頑鐵有光輝，運退黃金無顏色；
逍遙且學聖賢心，到此方知滋味別。
粗衣淡飯足家常，養得浮生一世拙。

# 一世歌

唐伯虎

人生七十古來稀，前除幼年後除老；
中間光景不多時，又有炎霜與煩惱。
過了中秋月不明，過了清明花不好；
花前花下且高歌，急須滿把金樽倒。
世上錢多賺不盡，朝裡官多做不了；
官大錢多心轉憂，落得自家頭白早。
春夏秋冬撚指間，鐘送黃昏雞報曉；
諸君細點眼前人，一年一度埋荒草。
草裡高低多少墳，一年一半無人掃。

# 好了歌

曹雪芹

清代看破紅塵的曹雪芹在「紅樓夢」書中，藉跛足道人之口，寫下——好了歌：

世人都曉神仙好，惟有功名忘不了；古今將相在何方，荒塚一堆草沒了。

世人都曉神仙好，惟有金銀忘不了；終身只恨聚無多，直到多時眼閉了。

世人都曉神仙好，惟有嬌妻忘不了；君生日日說恩情，君死又隨人去了。

世人都曉神仙好，惟有兒孫忘不了；痴心父母古來多，孝順子孫誰見了。

# 空空歌

天空空，地空空，人生渺茫在其中。
日也空，月也空，東升西降爲誰功。
權也空，位也空，盛衰興亡快如風。
田也空，屋也空，換了多少主人翁。
金也空，銀也空，死後何曾在手中。
妻也空，子也空，黃泉路上不相逢。
空空空，空空空。
朝走西，暮走東，人生猶如採花蜂。
採得百花成蜜後，辛苦總是一場空。
休教六慾日夜攻，形形色色皆是空。
悟得本來無一物，靈臺只在此心中。

## 快樂銘　石天基

有書眞富貴，無事小神仙。
花常留我賞，月不放人眠。
狂歌性卓矣，把酒意陶然。
隨時皆好日，到處是桃源。
栽培心上地，涵養性中天。
癡頑學兒戲，喜極舞瘋癲。
松陰張亭蓋，鳥聲奏管絃。
情思猶夢幻，塵世等雲煙。
瀟灑因知足，寬平爲聽緣。
以此銘肺腑，福增壽更延。

## 忍辱歌　石天基

忍辱好！忍辱好！
忍辱二字眞奇寶：
一朝之忿不能忍，
鬥勝爭強禍不少。
身家由此破，性命多難保。
休逞權勢結怨仇，
後來要了不得了；
讓人一步有何妨，
量大福大無煩惱。

# 座右銘

崔瑗座右銘

無道人之短，無說己之長；
施人愼勿念，受施愼勿忘。
世譽不足慕，唯仁爲紀綱；
隱心而後動，謗議庸何傷。
無使名過實，守愚聖所臧；
在涅貴不緇，曖曖内含光。
柔弱生之徒，老氏戒剛強；
行行鄙夫志，悠悠故難量。
愼言節飲食，知足勝不祥；
行之苟有恆，久久自芬芳。

## 聶壽卿座右銘

短不可護，護則終短；長不可矜，矜則不長。
尤人不如尤己，好圓不如好方。
用晦則莫與爭智，撝謙則莫與爭強。
多言爲老氏所戒，欲訥乃仲尼所藏。
妄動有悔，何如靜而守拙；
太剛則折，曷若柔而無傷。
吾見進而不已者敗，未見退而自足者亡。
爲善斯遊君子之域，作惡則入小人之鄉。
吾儕，書紳帶以自警，刻盤盂而若傷。
惟常存於座右，庶夙夜之不忘。

# 陋室銘

劉禹錫

山不在高，有仙則名；
水不在深，有龍則靈。
斯是陋室，惟吾德馨。
苔痕上階綠，草色入簾青。
談笑有鴻儒，往來無白丁。
可以調素琴，閱金經。
無絲竹之亂耳，無案牘之勞形。
南陽諸葛廬，西蜀子雲亭。
孔子云：「何陋之有？」

簡介：劉禹錫，字夢得，唐代洛陽人，全文緊扣「陋室不陋」主旨。並引孔子之話作結論，文筆簡鍊，興味盎然。

## 百字箴

唐太宗百字箴

耕夫役役，多無隔宿之糧；
織女汲汲，少有禦寒之衣。
日食三餐，當思農夫之苦，
身穿一縷，每念織女之勞。
寸絲千命，匙飯百鞭；
無功受祿，寢食不安。
交有德之朋，絕無益之友；
取本分之財，戒無名之酒。
常懷克己之心，閉卻是非之口；
若能依朕所言，富貴功名可久。

# 修養百字箴

欲寡精神爽，思多血氣衰。
清心不亂性，忍氣免傷財。
溫柔終益己，強暴必招災。
善處眞君子，刁唆是禍胎。
暗中勿放箭，乖裏藏些呆。
養性須修善，欺心枉吃齋。
安分身無辱，是非口不開。
貴自勤中得，富從儉裡來。
衙門休出入，待人要和諧。
世人依此語，災退福星來。

# 愛蓮說

周敦頤

水陸草木之花，可愛者甚蕃；晉陶淵明獨愛菊；自李唐來，世人盛愛牡丹。予獨愛蓮之出淤泥而不染，濯清漣而不妖；中通外直，不蔓不枝；香遠益清，亭亭淨植，可遠觀而不可褻玩焉。

予謂：菊，花之隱逸者也；牡丹，花之富貴者也；蓮，花之君子者也。噫！菊之愛，陶後鮮有聞。蓮之愛，同予者何人？牡丹之愛，宜乎眾矣。

簡介：周敦頤，宋道州人。人品高潔，胸懷灑落。本文係藉蓮的特質，來比喻君子的美德，並說明它可愛的緣故。

# 悟道偈

順治皇帝

來時糊塗去時迷，空在人間走一回；
未曾生我誰是我，生我之後我是誰。
長大成人方知我，合眼矇矓又是誰；
不如不來亦不去，亦無煩惱亦無憂。
悲歡離合多勞思，何日清閒誰得知；
世間難比出家人，無牽無罣得安宜。
兔走烏飛東復西，為人切莫用心機；
百年世事三更夢，萬里江山一局棋。
吾本西方一衲子，為何落在帝王家；
如今撒手西方去，不管千世與萬秋。

# 清靜經　太上老君

老君曰：大道無形，生育天地；大道無情，運行日月；大道無名，長養萬物。吾不知其名，強名曰道。夫道者，有清有濁，有動有靜；天清地濁，天動地靜；男清女濁，男動女靜。降本流末，而生萬物。清者濁之源，動者靜之基。人能常清靜，天地悉皆歸。夫人神好清，而心擾之；人心好靜，而欲牽之。常能遣其慾，而心自靜；澄其心，而神自清。自然六慾不生，三毒消滅。所以不能者，為心未澄，慾未遣也。能遣之者，內觀其心，心無其心；外觀其形，形無其形；遠觀其物，物無其物。三者既悟，唯見於空。觀空亦空，空無所空；所空既無，無無亦無；無無既無，湛然常寂；寂無所寂，慾豈能生？欲既不生，即是眞靜。眞常應物，眞常得性，常應常靜，常清靜矣。如此清靜，漸入眞道；既入眞道，名爲得道。雖名得道，實無所得；爲化衆生，名爲得道。能悟之者，可傳聖道。

老君曰：上士無爭，下士好爭；上德不德，下德執德。執著之者，不明道德。衆生所以不得眞道者，爲有妄心；既有妄心，即驚其神；既驚其神，即著萬物；既著萬物，即生貪求；既生貪求，即是煩惱。煩惱妄想，憂苦身心；便遭濁辱，流浪生死；常沉苦海，永失眞道。眞常之道，悟者自得；得悟道者，常清靜矣。

## 養生訣

乾隆·養生訣

齒常叩，面常擦；
鼻常揉，耳常彈。
肚常提，體常勞；
腰常伸，腹常旋。
腿常支，足常摩；
食常少，津常咽。

楊琛·養生訣

心性靜，骨力勁；
胸懷開，筋骸硬；
脊樑直，腸胃淨；
耳目清，神氣定；
腰腿健，精魄正。

## 健康十則

一、少酒多茶。
二、少葷多菜。
三、少鹹多淡。
四、少糖多果。
五、少食多動。
六、少說多做。
七、少憂多閒。
八、少欲多施。
九、少怒多笑。
十、少怨多恕。

## 養生十二則

一、謹言語以養內氣。
二、少思慮以養心氣。
三、慎行藏以養神氣。
四、嚥津液以養臟氣。
五、薄滋味以養血氣。
六、節飲食以養胃氣。
七、解憂鬱以養脾氣。
八、調胎息以養肺氣。
九、寡色欲以養腎氣。
十、戒瞋怒以養肝氣。
十一、常運動以養骨氣。
十二、順時令以養元氣。

# 修道問對

寒山拾得問對

寒山問：世人輕我、騙我、謗我、欺我、笑我、妒我、辱我、害我，如何處治乎？

拾得答：惟有敬他、容他、讓他、耐他、隨他、避他、不理他、再過幾時，看他如何？

寒山問：還有甚訣可以躲得？

拾得答：有人罵老拙，老拙只說好，
有人打老拙，老拙自睡倒，
有人唾老拙，隨它自乾了，
我也省力氣，他也無煩惱。

作者：寒山與拾得是唐代隱僧，傳說，寒山是文殊菩薩化身，拾得是普賢菩薩化身，二士常隱棲天臺山國清寺，豐干禪師常以「寒山文殊，拾得普賢」稱之。清雍正十一年，封寒山爲「和聖」、拾得爲「合聖」，並稱爲「和合二聖」。二士平素形貌癲狂，行徑怪異，惟好吟詩唱偈，成爲至交，後隱於石穴，不知所終。本文是寒山與拾得一段啓明發瞶的問對。

# 天泉證道問對

天泉證道問答，是明朝王陽明的弟子錢緒山「四句權法」與王龍谿「四無定法」的教言，王氏認爲前者係教導根機鈍的人，漸而修之；漸修入道是講修行工夫。後者係教導根機銳的人，頓而悟之；頓悟入道，是談眞如本體。漸頓二法，修道法門雖異，得道證果則同，可以單修，亦可以合參。運用之妙，存乎自心。今迻錄於后，以資參究：

## 錢緒山「四句權法」

無善無惡是心之體
正心工夫
有善有惡是意之動
誠意工夫
知善知惡是良知也
致知工夫
爲善去惡是格物也
格物工夫

---

## 王龍谿「四無定法」

心是無善無惡之心
無心之心則藏密
意是無善無惡之意
無意之意則應圓
知是無善無惡之知
無知之知則體寂
物是無善無惡之物
無物之物則用神

# 治家格言

韓退之治家格言

大丈夫成家容易，士君子立志不難。
退一步自然幽雅，讓三分何等清閒。
忍幾句無憂自在，耐一時快樂神仙。
喫菜根淡中有味，守王法夢中無驚。
有人問我塵世事，擺手搖頭說不知。
寧可採深山之茶，莫去飲花街之酒。
須就近有道之士，早謝卻無情之友。
貧莫愁兮富莫誇，那見貧長富久家。

## 朱柏廬治家格言

黎明即起，灑掃庭除，要內外整潔，既昏便息；關鎖門戶，必親自檢點。一粥一飯，當思來處不易；半絲半縷，恆念物力維艱。宜未雨而綢繆，毋臨渴而掘井。自奉必須儉約，宴客切勿留連。器具質而潔，瓦缶勝金玉；飲食約而精，園蔬愈珍饈。勿營華屋，勿謀良田。三姑六婆，實淫盜之媒。婢美妾嬌，非閨門之福。童僕勿用俊美，妻妾切忌豔妝。祖宗雖遠，祭祀不可不誠。子孫雖愚，經書不可不讀。

居身務期質樸，教子要有義方。勿貪意外之財，勿飲過量之酒。與肩挑貿易，毋佔便宜；見貧苦親鄰，須加溫恤。

刻薄成家，理無久享；倫常乖舛，立見消亡。兄弟叔姪，須分多潤寡；長幼內外，宜法肅辭嚴。聽婦言，乖骨肉，豈是丈夫！重貲財，薄父母，不成人子！

嫁女擇佳婿，毋索重聘；娶媳求淑女，勿計厚奩。見富貴而生諂容者，最可恥；遇貧窮而作驕態者，賤莫甚！

居家戒爭訟，訟則終凶；處世戒多言，言多必失。毋恃勢力，而凌逼孤寡；勿貪口腹，而恣殺牲禽。乖僻自是，悔誤必多；頹隳自甘，家道難成。狎匿惡少，久必受其累；屈志老成，急則可相依。輕聽發言，安知非人之譖愬？當忍耐三思。因事相爭，焉知非我之不是？須平心暗想。施惠無念，受恩莫忘。凡事當留餘地，得意不宜再往。人有喜慶，不可生妒嫉心；人有禍患，不可生喜幸心。善欲人見，不是眞善；惡恐人知，便是大惡。見色而起淫心，報在妻女；匿怨而用暗箭，禍延子孫。

家門和順，雖饔飧不繼，亦有餘歡；國課早完，即囊橐無餘，自得至樂。讀書志在聖賢，非徒科第；爲官心存君國，豈計身家？守分安命，順時聽天。爲人若此，庶乎近焉！

簡介：朱用純明末清初學者，字致一，號柏廬，江蘇崑山人。他主張「知所當知，行所當行」。本文是他勉勵子孫治家之言，內容確實何作爲世人修身養性的準繩，值得吾輩揣摩研究。

## 治家箴言

正人先正己，治家如治國；
先當重祖宗，愼勿慢親族。
竭力孝父母，小心敬伯叔；
長幼必有序，夫妻在和睦。
度量放寬弘，見識休局促；
莫聽婦人言，兄弟傷骨肉。
常存君子心，忠厚待鄉曲；
義方訓子孫，寬恕使奴僕。
諸物須儉用，凡事要知足；
衣食務均平，財物莫私蓄。
閨門宜謹嚴，兒女要拘束；
家法能整齊，自然天賜福。

# 百忍太和

張公藝

人間和氣福運開，家中吵鬧便生災；
暗中再加鄰居笑，定規沒有好日來。
夫妻姻緣前生定，夫唱婦隨萬事成；
百世修來共船度，千世修來共枕眠。
丈夫不可嫌妻醜，妻子切莫嫌夫貧；
妻子醜陋前生定，夫家貧苦命生成。
命好不到貧家去，命窮難進富貴門；
夫爲家門圖發達，妻勤節儉助良人。
平安思念姻緣美，等級無分敬如賓。

# 警世通言

陳眉公

一生都是命安排，求甚麼？今日不知明日事，愁甚麼？
不禮爹娘禮鬼神，敬甚麼？兄弟姊妹皆同氣，爭甚麼？
兒孫自有兒孫福，憂甚麼？奴僕也是爹娘生，凌甚麼？
當官若不行方便，做甚麼？公門裡面好修行，兇甚麼？
刀筆殺人終自殺，刁甚麼？舉頭三尺有神明，欺甚麼？
文章自古無憑據，誇甚麼？榮華富貴眼前花，傲甚麼？
他家富貴前生定，妒甚麼？前世不修今受苦，怨甚麼？
豈可人無得運時，急甚麼？人世難逢開口笑，苦甚麼？
補破遮寒煖即休，擺甚麼？纔過三寸成何物，饞甚麼？

死去一文帶不去，慳甚麼？前人田地後人收，占甚麼？
得便宜處失便宜，貪甚麼？聰明反被聰明誤，巧甚麼？
虛言折盡平生福，謊甚麼？是非到底終分明，辯甚麼？
暗中催君骨髓枯，淫甚麼？嫖賭之人無下梢，耍甚麼？
治家勤儉勝求人，奢甚麼？人爭閒氣一場空，惱甚麼？
惡人自有惡人磨，憎甚麼？怨怨相報幾時休，結甚麼？
人生何處不相逢，狠甚麼？世事眞如一局棋，算甚麼？
誰人保得常無事，誚甚麼？穴在人心不在山，謀甚麼？
欺人是禍饒人福，強甚麼？一旦無常萬事休，忙甚麼？

# 大同社會

大道之行也，天下爲公。選賢與能，講信修睦。故人不獨親其親，不獨子其子；使老有所終，壯有所用，幼有所長，矜寡孤獨廢疾者，皆有所養。男有分，女有歸。貨、惡其棄於地也，不必藏於己；力、惡其不出於身也，不必爲己。是故：謀閉而不興，盜竊亂賊而不作；故外户而不閉，是謂大同。

簡介：本文節選自禮記禮運篇，是孔子論説：天下爲公，選賢與能，爲大衆服務，造成天下太平的大同社會，是最理想的政治。

# 福善禍惡

一

• 修心莫先於爲善，善事不出門。

作善去惡，即功德也。作善事莫怕旁人笑。

• 修行莫大於戒惡，惡事傳千里。

作惡棄善，即罪過也。作惡事定受鬼神磨。

二

• 心正行善，爲善必福，爲善未受現報，

其前世或祖宗必有餘殃，殃盡必福報。

• 心邪行惡，爲惡必禍，爲惡未受現報，

其前世或祖宗必有餘蔭，蔭盡必禍報。

## 三

• 毋毀大衆之名，以成一己之善。

• 陷一善者，與操刀殺人者何異，勿陷害好人。

• 毋沒天下之理，以護一己之惡。

• 釋一惡者，與縱虎傷人者無殊，勿釋放壞人。

## 四

• 作善於人所不知，是謂陰善。

• 陰善之報，較陽善爲多，陰善善業，福報廣大。

• 作惡於人所不知，是謂陰惡。

• 陰惡之報，較陽惡爲多，陰惡惡業，禍報深重。

五

• 善欲人見，不是眞善。
爲善欲人見，善中仍有染念，要克制染念。

• 惡恐人見，便是大惡。
爲惡恐人見，惡中猶有淨念，要增長淨念。

六

• 福在積善，善有善報，衆善奉行。
人如爲善，福雖未至，禍已遠離。

• 禍在積惡，惡有惡報，諸惡莫作。
人如爲惡，禍雖未至，福已遠離。

七

•君子善善。

善人固可親，但不可急合，恐引奸佞進身。

•君子惡惡。

惡人固可疏，但不可急去，恐爲讒夫洩忿。

八

•善似芝蘭之草，

雖不見其長，但日有所長。故行善必增福。

•惡如磨刀之石，

雖不見其消，但日有所消。故行惡必折福。

九

•取人之善，慕人之善，勿問其所以善。恐擬議之念生，而效法之心則微矣！

•論人之惡，化人之惡，勿問其所以惡。恐憎怨之念起，而惻隱之心則鮮矣！

十

•天堂無則已，有則善人登。善則心體清淨，光明正直，陽剛善人而登乎天。

•地獄無則已，有則惡人入。惡則心體濁染，黑暗偏曲，陰柔惡人而入乎地。

十一

•人心一念之善，而神在其中焉。因而鑒察之，呵護之；上至於父母，下至於兒孫，必致其福而後已。故正心即是神，神與神相親，有何疑哉！

•人心一念之惡，而鬼在其中焉。因而欺侮之，播弄之；晝見於形像，夜見於夢魂，必釀其禍而後已。故邪心即是鬼，鬼與鬼相應，有何怪哉！

十二

•使爲善而父母怒之，兄弟怨之，子孫羞之；宗族鄉黨卑賤之，如此而不爲善，可也。爲善則父母愛之，兄弟悅之，子孫榮之；宗族鄉黨敬信之，何苦而不爲善！

•使爲惡而父母愛之，兄弟悅之，子孫榮之；宗族鄉黨敬信之，如此而不爲惡，可也。爲惡則父母怒之，兄弟怨之，子孫羞之；宗族鄉黨卑賤之，何苦而去爲惡！

## 生活五箴

教育即生活，生活即教育，在終身學習的過程中，我願：自尊自重，自立自強；時時警惕，處處實踐，以養成德、智、體、群、美五育均衡發展之健全國民。

一、注重禮讓箴

孝順父母，尊敬師長，友愛同學，敦睦親鄰。明禮義，知廉恥；常說：請、謝謝、對不起。不粗言野語，不強詞奪理，不忤逆傲慢，不逞兇鬥毆。

二、遵守秩序箴

服從紀律，愛護公物，嚴守本分，注意安全。講道理，守規矩；心平氣和，敬業樂群。不爭先恐後，不陽奉陰違，不肆意叫囂，不違規犯法。

三、端正儀容箴

愛好整潔，端莊儀容，舉止溫雅，態度大方。言忠信，行篤敬；堂堂正正，規規矩矩。不奇裝異服，不蓬頭垢面，不心浮氣躁，不怨天尤人。

四、強健身心箴

鍛練身體，涵養心性，啓發良知，崇尚道德。明是非，辨善惡；重視榮譽，善盡責任。不吸菸賭博，不偏執盲從，不投機取巧，不胡作妄爲。

五、珍惜時間箴

把握現在，充實自己，日日求新，事事務實。讀書時認眞讀書，工作時努力工作。不曠費時光，不好逸惡勞，不敷衍塞責，不耽誤工作。

## 領導十則

一、領導是一種科學，同時也是一種藝術。

二、領導是服務、是奉獻、是責任，而非權力。

三、領導是己立立人，己達達人，使人倫圓滿，事物圓成。

四、領導是長善救失，輔助人、己、事、物的成長、進步、與發展，以止於至善。

五、領導是與人爲善，擷長補短，彼此影響、在分工合作和交相行爲的過程中，互動互助、完成任務。

六、領導是因材器使，因勢利導，使：人人有事做，人盡其才；事事有人做，事竟其功。

七、領導是以身作則，盡心盡力盡責，任勞任怨任謗，化阻力爲助力，教自然人成文化人。

八、領導是溝通，協調與統合。由正、反、合、窮、變、通，一連串手段——目的之連鎖反應和誘導中，推陳出新，日新又新。

九、領導是由高關懷的情感導向，與高倡導的工作導向，兩者交互運用，相輔相成，以滿足員工願望，並實現組織目標。

十、領導是作之君的人格導向、作之師的學術導向，作之友的民主導向，與作之親的情感導向。惟運用之妙，存乎一心耳。

# 自在安樂

人生無常，五蘊皆空。
勤修戒定慧，息滅貪瞋癡；斷盡理事二惑，破除我法二執。
圓脫「生死病死，六趣輪迴」迷惘纏垢的世間苦厄。
深知苦集滅道眞諦，了覺緣起性空中觀。
禪淨同修，悲智雙運；實踐八正道，修持六度行。
圓悟「無緣大慈，同體大悲」慈悲喜捨的眞常妙心。
妙有眞空，空有雙照；遣相證性，性相互融。
諸惡莫作，衆善奉行；自淨己意，轉識成智。
圓證「上求菩提，下化衆生」常樂我淨的究竟涅槃。

# 五教一如

五教一如，修心養性，長善救惡；有如一花生五瓣，五瓣結一果。其宗旨：以「復性」爲入世目標，以「歸根」爲出世目的。同理不同道，然皆以「一如」爲立教之基，本自覺自證，去迷向悟，而離苦得樂。其教義言殊而理同——五教唯心；其修道殊途而同歸——萬法歸一。其眞理旨趣如下：

儒之天理，儒之貫一，正心盡性，忠恕精神——孔老夫子。

道之自然，道之守一，修心煉性，清靜精神——太上老君。

佛之眞如，佛之歸一，明心見性，慈悲精神——釋迦牟尼。

耶之上帝，耶之親一，洗心移性，博愛精神——耶穌基督。

回之阿拉，回之返一，堅心定性，清眞精神——穆罕默德。

# 四十自述—春風化雨四十年

余姓錢名濤，號中和，福建莆田笏石人。一九二八年二月二十三日生。農家子弟，幼年失怙，做過粗活，養成勤勞儉樸的習性。

余小時在家鄉化石小學、中正初中誦讀。民國三十六年夏，隻身負笈來臺，考上臺北師範學校攻讀。三十九年畢業，令派於臺北市雙園國民學校，擔任教學和訓導業務六載。四十五年秋，升入臺灣師範大學教育系深造。四十九年結業，分發於花蓮鳳林初中服務，主辦教務工作。五十一年任教於臺東女子中學。五十三年應臺東師範學校之聘，擔任實習課程和國校輔導工作。十八年來，本著『行中求知、做中學習』的知行並進原則，不斷吸收新知，積極磨鍊心智，期實務與學理相印證，而相輔相成。

民國五十七年春，我教育當局遵奉蔣公中正先生的昭示，在臺澎金馬地區實施九年國民教育。有幸參加臺灣省五十七學年度國民中學校長的甄試，榮獲錄取、儲訓及候用。同年七月奉臺灣省政府，令派代臺北縣石碇國民中學，負責擘畫創校工作，盡心竭力，篳路藍縷，慘澹經營而順利完成。六十四年核派充本縣秀峰國民中學主持校務，全力整建校舍、充實設備及美化校園。七十五年八月奉調板橋國民中學服務。平日兢兢業業，以校爲家，輔導同仁們；『我愛板中，大家一起來，明天會更好』。群策群力，共同推展和提昇教育品質。八十二年，核調中正國民中學綜理校政。期勉全體教師：以生活規範爲基礎，適性發展爲依歸；因材施教，因勢利導。回想四十年的教育工作中，一向基於『崇法、務本、守分、盡職』的基本準則，並以中道自居，以正理自持；領導群倫，日日求新，事事務實。勗勉學子：『做一個人，像一個人；做一件事，像一件事。』敦品力學，進德修業，深得全體師生的認同、肯定與敬愛，無不同心協力獻身於百年樹人的教育事業。

余持身誠敬勤毅，訥於談吐，拙於逢迎，又不善趨奉耳！生平以工作爲尚，讀書爲樂；自尊自重，自立自強。在四十年『教、學、做』的生涯中，尚能自我觀照，自我省察；知足而樂，知止而安。平常秉持歷年來所琢磨的心血—錦言警句，做人做事座右銘，作爲倫常日用間，修心養性，爲人世處的的勗勉箴言。本箴言係以聯語句型綴集，言簡意賅，言近旨遠，雖爲自勉之語，亦值得同道揣摩省思，參究力行。

本文原載於一九九四年九月台灣教育——教師節特刊

本人於于一九九六年八月一日於台北縣中正國中退休

以下的空白，是留給讀者填寫

您可以就生活中的所知、所見、所感，自行創作

也可以抄錄書本裡、報章上、課堂內，讀到、聽

到、想到的一些名言佳句。

願這些做人做事的錦言警句，能帶給您：

健康的身心，

安閒的舉止，

開闊的胸襟，

靈敏的智慧。

從而，創造光明美好的未來。

我從何來，從自然來；
我往何去，往自然去。

欣然而來，來無迷執。
即一切用，提起一切；自覺自適；無憂無樂。
安然而去，去無牽掛。
離一切用，放下一切；自證自得；無垢無淨。

如實地來，來不足喜；
如實地去，去不足悲。
來去自如，返我元本眞面目。

善因善果 衆善奉行
身在福中要知福
愛物即惜福
忙碌是幸福
行善即造福
施比受更有福
惡因惡果 諸惡莫作

# 錦言警句

著　者：錢　濤
出版者：文史哲出版社
登記證字號：行政院新聞局版臺業字五三三七號
發行人：彭正雄
發行所：文史哲出版社
印刷者：文史哲出版社
臺北市羅斯福路一段七十二巷四號
郵政劃撥帳號：一六一八〇一七五
電話886-2-23511028．傳眞886-2-23965656

實價新臺幣五〇〇元

中華民國八十九年二月初版



ISBN 957-549-277-3

國家圖書館出版品預行編目資料

錦言警句 / 錢濤著. -- 初版. -- 臺北市 : 文史哲
,民 89
面; 公分
ISBN 957-549-277-3(平裝)

1.格言 - 2.修身

192.8 89002916